নিশিকন্যা

মুহম্মদ জাফর ইকবাল

পার্ল পাবলিকেশন্স

দ্বিতীয় মুদ্রণ : একুশে বইমেলা ২০০৩
প্রথম প্রকাশ : একুশে বইমেলা ২০০৩

©

লেখক

প্রচ্ছদ
ধ্রুব এষ

ISBN–984-495-093-7

পার্ল পাবলিকেশন্স ৩৮/২ বাংলাবাজার ঢাকা-১১০০ থেকে আলতাফ হোসেন কর্তৃক প্রকাশিত এবং সালমানী মুদ্রণ নয়াবাজার ঢাকা থেকে মুদ্রিত। অক্ষরবিন্যাস দীপ্তি কম্পিউটারস ৩৮/২খ বাংলাবাজার ঢাকা।

মূল্য : ৮০ টাকা

আমাদের প্রকাশিত লেখকের অন্যান্য বই

আমেরিকা
হিমঘরে ঘুম ও অন্যান্য
কাচসমুদ্র
বেজি

সূচি

আয়না

রূপা বলল, "আব্বু, আম্মু মারা যাবার পর তোমার আরেকটা বিয়ে করা উচিৎ ছিল।"

রূপা আর তার বাবা শাহেদ ডাইনিং টেবিলে খেতে বসেছে, রূপার কথা শুনে শাহেদ একটা বিষম খেলো। কাশতে কাশতে বলল, "কী বললি? আমার বিয়ে করা উচিৎ ছিল?"

"হ্যাঁ।" রূপা মাথা নাড়ল, "অবশ্যই বিয়ে করা উচিৎ ছিল।"

"কেন?"

"তাহলে আমার একটা কথা বলার মানুষ থাকতো, কোনো কিছু সমস্যা হলে তার সাথে কথা বলতে পারতাম।"

শাহেদ হাসি হাসি মুখ করে বলল, "তুই কেমন করে জানিস সেই মহিলা তোর কথা শুনতো? যদি ডাইনী টাইপের একটা মহিলা হতো?"

রূপা মাথা নেড়ে বলল, "তুমি কেন ডাইনী টাইপের একটা মেয়ে বিয়ে করবে? তোমার সুইট টাইপের একটা মেয়ে বিয়ে করা উচিৎ ছিল। হাসিখুশি মাই ডিয়ার টাইপের!"

শাহেদ প্লেটে ভাত নিতে নিতে বলল, "মাই ডিয়ার টাইপের একজন মাই ফিয়ার টাইপের হয়ে যেতে কতোক্ষণ? ঠাকুরমার ঝুলি পড়িস নি?"

"আব্বু ওগুলো পুরানো দিনের বই। রিয়েল লাইফে এগুলো হয় না। খামোখা কেন একজন মানুষ ডাইনী টাইপের হবে?"

৯

শাহেদ এবারে মুখে একটা হতাশার ভাব ফুটিয়ে বলল, "তুই এই কথাটা সাত বছর আগে কেন বললি না? আমি তোর কথা ভেবে বিয়ে করলাম না— আর এখন তুইই আমাকে সে জন্যে দোষ দিচ্ছিস?"

"এখন তাহলে করে ফেলো।"

"এখন?"

"হ্যাঁ।"

শাহেদ তার কাঁচা পাকা চুল দেখিয়ে বললো, "সব চুল পেকে যাচ্ছে, এখন আমাকে কে বিয়ে করবে? আফসোস— যখন সময় ছিলো তখন কেউ আমাকে বলল না!"

আসলে কথাটি সত্যি নয়। রূপার এখন বয়স পনেরো, তার বয়স যখন আট তখন রূপার মা মালা খারাপ ধরনের একটা ব্লাড ক্যান্সারে মারা গিয়েছিল। শোকের প্রথম ধাক্কাটা কেটে যাবার পর শাহেদের মা বা ভাইবোন আত্মীয়স্বজন বন্ধুবান্ধব সবাই তাকে একটা বিয়ে করার পরামর্শ দিয়েছিল। সবাই তখন রূপার কথাই বলেছিল, মেয়েটা তা না হলে একেবারে একলা হয়ে যাবে। শাহেদ রাজি হয় নি— রূপার মায়ের জায়গায় সে কিছুতেই অন্য একটা মহিলার কথা চিন্তা করতে পারে নি।

সেই আট বৎসর থেকে শাহেদ রূপাকে মানুষ করে এনেছে। সকালে ঘুম থেকে তুলেছে, নাস্তা করিয়ে স্কুলে নিয়ে গেছে। নিজে স্কুল থেকে আনতে না পারলে কাউকে দিয়ে আনিয়েছে। রাত্রে ঘুম পাড়িয়েছে, ঘুমিয়ে যাবার পর রাত জেগে নিজের কাজ করেছে! রূপার অসুখ হলে বুকে চেপে ধরে হেঁটেছে, মাথায় পানি ঢেলেছে, ঘণ্টায় ঘণ্টায় থার্মোমিটার দেখেছে! মালা বেঁচে থাকলে যা যা করতো শাহেদ তার সব কিছুই করেছে তবুও কখনোই তার জায়গাটা পূরণ করতে পারে নি। মা দিয়ে কখনো কখনো বাবার অভাব পূরণ করা যায় কিন্তু বাবা দিয়ে কখনো মায়ের অভাব পূরণ হয় না।

রূপা নিজের প্লেটের খাবার নাড়াচাড়া করতে করতে বলল, "তুমি বিয়ে করলে আরো একটা জিনিস হতো!"

"কী জিনিস?"

"আমার আরো কয়টা ভাইবোন থাকতো! আমাকে সব সময় একলা থাকতে হতো না।"

শাহেদ একটু অবাক হয়ে বলল, "তোকে সব সময় একলা থাকতে হয় কে বলেছে? স্কুলে এতো বন্ধুবান্ধব—"

"স্কুলের বন্ধুবান্ধব এক রকম আর ভাইবোন অন্য রকম।"

"তুই কেমন করে জানিস?"

"না জানার কী আছে? আমি দেখি না?"

শাহেদ তার মেয়েটির জন্যে এক ধরনের বেদনা অনুভব করে। সত্যিই এই মেয়েটি একা। আগে কখনো সেটি নিয়ে কখনো অভিযোগ করে নি, ইদানীং মাঝে মাঝেই এটা বলছে। আজকাল শাহেদ নিজেও অনেক ব্যস্ত হয়ে পড়েছে, বাসায় আসতে প্রায়ই বেশ রাত হয়। রূপার মায়ের নাম দিয়ে সে মালা ইলেকট্রনিক্স নামে যে ফ্যাক্টরীটা শুরু করেছে বছরখানেক হলো সেটা নিজের পায়ে দাঁড়িয়েছে, গতবার মাত্র প্রথমবার সেটা বাইরে কিছু যন্ত্রপাতি এক্সপোর্ট করেছে। কাজকর্ম নিয়ে খুব ব্যস্ত থাকে— মনে মনে ভেবেছিল রূপা বড় হয়েছে, ছোট থাকতে তাকে যতো সময় দিয়েছে এখন আর ততো সময় না দিলেও চলবে। কিন্তু সেটা মনে হয় সত্যি নয়। পনেরো-ষোল বছরের মেয়ের সম্পূর্ণ ভিন্ন একটা জগৎ থাকে, সেখানে হঠাৎ করে ঢোকা যায় না, কিন্তু সেই জগতের কাছাকাছি থাকতে হয়— তা না হলে হঠাৎ করে মাঝখানে বিশাল দূরত্ব হয়ে যায়।

শাহেদ তার খাওয়া শেষ করে এক গ্লাস পানি খেয়ে রূপার দিকে তীক্ষ্ণ চোখে তাকালো, জিজ্ঞেস করলো, "তুই সত্যি সত্যি খুব একা?"

রূপা এবারে কেমন যেন লজ্জা পেয়ে যায়, জোরে জোরে মাথা নেড়ে বলল, "না, আব্বু! আমি এমনি এমনি ঢং করছিলাম!"

"ঢং?"

"হ্যাঁ।" রূপা হেসে বলল, "আমি তো টিন এজার— টিন এজাররা হচ্ছে ঢংয়ের মাঝে সবচেয়ে বড় এক্সপার্ট!"

শাহেদ একটা ছোট দীর্ঘশ্বাস ফেলে বলল, "উহুঁ, তুই আসলে সত্যি কথাই বলেছিস। আসলেই তুই খানিকটা লোনলি!"

"না আব্বু। আমি ঠিকই আছি—"

"উহুঁ। তুই ঠিক নাই।" তোর বয়সী বাচ্চা-কাচ্চারা যখন বাসায় আসে তখন সেখানে মা থাকে, ভাইবোন থাকে— তোর বেলায় কেউ থাকে না। তুই একা।"

"ময়না খালা আছে! ইদরিস চাচা আছে।"

ময়না খালা কাজের বুয়া, ইদরিস চাচা বহুদিনের পুরানো ড্রাইভার। তারা আর যাই করুক পনেরো ষোল বছরের একটা মেয়ের নিঃসঙ্গতা যে দূর করতে

পারে না, সেটা রূপা আর শাহেদ দুজনেই জানে। তাই দুজনের কেউই কোনো কথা বলল না, দুজনেই একটু হাসির ভান করলো।

শাহেদ পানির গ্লাসটায় আরো খানিকটা পানি ঢালতে ঢালতে বলল, "একটা কাজ করা যাক!"

"কী কাজ?"

"একটা বড় ভ্যাকেশান নেয়া যাক।"

"ভ্যাকেশান?" রূপা অবাক হবার ভান করে বলল, "তুমি ভ্যাকেশান নেবে?"

"কেন? আমি ভ্যাকেশান নিতে পারি না?"

"আগে একবার নাও, তারপর দেখি।"

শাহেদ গলায় উৎসাহ ঢেলে বলল, "তুই আর আমি কোনো একটা জায়গায়, একসাথে— কী বলিস?"

রূপা একটু একটু হাসতে হাসতে বলল, "কোথায় যাবে শুনি?"

"চিটাগাং হিল ট্র্যাক্টস যেতে পারি। তা না হলে সুন্দরবনে। জ্যোৎস্না রাতে সুন্দরবন যা চমৎকার নাকি দেখায়!"

রূপা খিলখিল করে হেসে বলল, "আব্বু তুমি শুধু শুধু এতো প্ল্যান প্রোগ্রাম করছ। তুমি তোমার মালা ইলেকট্রনিক্স ছেড়ে একদিনও থাকতে পারবে না। একদিন কেন এক বেলাও থাকতে পারবে না! একবেলা কেন এক ঘণ্টাও থাকতে পারবে না!"

শাহেদ গম্ভীর গলায় বলল, "তুই বাজি ধরতে চাস?"

"ঠিক আছে।"

"কী বাজি ধরবি?"

"তুমিই বল।"

"যদি সত্যি সত্যি তোকে নিয়ে লম্বা একটা ভ্যাকেশানে যাই তাহলে তোর যতো হাউকাউ মার্কা সিডি আছে সবগুলো নালায় ফেলে দিয়ে আসবি!"

রূপা আঁৎকে উঠে বলল, "ইশ! আব্বু তমি এসব কী বলছ? এতো কষ্ট করে সিডিগুলো কালেক্ট করেছি আর সেগুলো তুমি ফেলে দেবে?"

শাহেদ চেয়ারে হেলান দিয়ে মাথা নাড়তে নাড়তে বলল, "কী যে তোরা মজা পাস এই চেঁচামেচি শুনে। না আছে কোনো লিরিক, না আছে কোনো সুর—"

রূপা গলা উঁচিয়ে বলল, "আব্বু, আমি বাজি ধরে বলতে পারি, তুমি যখন ছোট ছিলে তখন তোমার আব্বুও তোমাকে বলেছেন— কী সব হাউকাউ মার্কা গান শুনিস, না আছে সুর না আছে তাল!"

শাহেদ হেসে ফেলল, রূপা ঠিকই বলেছে। সে যখন কলেজে পড়তো তখন বিটলস নিয়ে খুব হৈচৈ। একদিন কোথায় জানি বিটলসের গান হচ্ছে তখন হঠাৎ করে তার বাবা এসে গেলেন, গান শুনে চোখ কপালে তুলে বললেন, "এই লোককে কী কুকুরে কামড়েছে? এইভাবে চিৎকার করছে কেন?"

রূপা ঠিক বিশ্বাস করে নি কিন্তু শাহেদ সত্যি সত্যি পুরো দুই সপ্তাহের জন্যে ছুটিতে যাবার প্রস্তুতি নিয়ে নিল। প্রথমে রাঙ্গামাটি, সেখান থেকে কক্সবাজার। কক্সবাজার থেকে সুন্দরবন। রাঙ্গামাটিতে তার পরিচিত এক বন্ধুর বাসায়, কক্সবাজারে পর্যটনের হোটেলে, সুন্দরবনে একটা রেস্ট হাউসে। এই দুই সপ্তাহের ছুটিতে শাহেদ কিছুই করবে না, শুধুমাত্র বিছানায় আধশোয়া হয়ে গল্পের বই পড়বে বলে ঠিক করল। সেটা শুনে রূপা খিলখিল করে হেসে বলল, "আব্বু তুমি যদি পুরো দুই সপ্তাহ বিছানাতে শুয়েই থাকবে, তাহলে এতো কষ্ট করে রাঙ্গামাটি, কক্সবাজার আর সুন্দরবন কেন যাচ্ছ? তুমি তোমার ঘরে গিয়ে শুয়ে থাকো না কেন?"

শাহেদ অপ্রস্তুতের মতো হেসে বলল, "ধুর বোকা! সবকিছুর জন্যে একটা এটমস্ফিয়ার লাগে না? এই ঘরে শুয়ে থাকা আর সুন্দরবনের রেস্ট হাউসে শুয়ে থাকা এক ব্যাপার হলো?"

কাজেই বেশ হই-চই করে ভ্রমণের প্রস্তুতি শুরু হলো। রূপার ক্লাসের মেয়েরা চোখ কপালে তুলে রূপাকে বলল, "দুই সপ্তাহ জঙ্গলে থাকবি?"

রূপা বলল, "দুই সপ্তাহ জঙ্গলে না। এক সপ্তাহ জঙ্গলে। বাকি এক সপ্তাহ রাঙ্গামাটি আর কক্সবাজারে!"

"ঐ একই কথা।"

"মোটেও এক কথা না।"

"তোর রাঙ্গামাটিতে টেলিভিশন আছে? স্টার ওয়ার্ল্ড আছে? এমটিভি আছে?"

রূপা মুখ গম্ভীর করে বলল, "আমি কী টেলিভিশন দেখার জন্যে যাচ্ছি? আমি আমার আব্বুর সাথে ভ্যাকেশানে যাচ্ছি।"

রূপার বান্ধবী সোনিয়া বলল, "সেটাই তো আমার প্রশ্ন! মানুষ তার বাবার সাথে ভ্যাকেশানে যায় কেমন করে? আমি আর আব্বু একসাথে থাকলে কোনো কথাই বলতে পারি না।"

আরো দুজন এই বিষয়ে একমত হয়ে গেলো, একজন জিজ্ঞেস করলো, "রূপা তুই তোর আব্বুর সাথে এই দুই সপ্তাহ কী নিয়ে কথা বলবি?"

"কী নিয়ে কথা বলব মানে! তোদের সাথে কী নিয়ে কথা বলি?"

"আমাদের সাথে যা নিয়ে কথা বলিস, তাই নিয়ে তুই তোর আব্বুর সাথে কথা বলিস?"

রূপা হাতে কিল দিয়ে বলল, "হ্যাঁ! একশবার বলি।"

রূপার বান্ধবীরা খানিকটা বিস্ময় এবং অনেকটা অবিশ্বাস নিয়ে তার দিকে তাকিয়ে রইল।

শাহেদ রূপাকে নিয়ে ঢাকা থেকে ট্রেনে চট্টগ্রাম রওনা দিলো। প্রথমে ভেবেছিল প্লেনে চলে যাবে, কিন্তু পরে সেই পরিকল্পনা বাতিল করে দিল। ভ্রমণের পুরো ব্যাপারটাই হচ্ছে ধীরেসুস্থে উপভোগ করে করে যাওয়া, প্লেনে সেটা হয় না, সেখানে সারাক্ষণই এক ধরনের তাড়া থাকে।

ট্রেনে চট্টগ্রাম পৌঁছে একটা গাড়ি করে শাহেদ আর রূপা যখন তার বন্ধুর ঠিক করে রাখা বাসায় পৌঁছালো তখন সন্ধে হয়ে গেছে। বাসার সামনে শাহেদের বন্ধু অপেক্ষা করছিল, গাড়ি থামতেই ঘর থেকে বের হয়ে এলো। রূপা গাড়ি থেকে নেমে অবাক হয়ে বাসাটির দিকে তাকিয়ে থাকে, হ্রদের তীরে, গাছগাছালি ঢাকা একটা টিলার উপরে একেবারে ছবির মতো একটা বাসা। দেখে মনে হয় কেউ বুঝি ক্যালেন্ডার থেকে কেটে এনে লাগিয়েছে!

শাহেদ তার পুরানো বন্ধুর সাথে দেখা হওয়ার পর প্রাথমিক উচ্ছ্বাস শেষ করে রূপার সাথে পরিচয় করিয়ে দিয়ে বলল, "রূপা, মা, এই হচ্ছে আমার বন্ধু মতিন। আমরা যখন স্কুলে পড়তাম তখন এর মতো পাজী একটা ছেলে ছিল না!"

রূপা তার আব্বুর দিকে তাকিয়ে বলল, "আর তুমি নিজে কী রকম মানুষ ছিলে সেটা বলবে না?"

শাহেদের বন্ধু মতিন হা হা করে হেসে বলল, "ইয়াং লেডি! তুমি ঠিকই ধরেছ। তোমার বাবা বিখ্যাত ইন্ডাস্ট্রিয়ালিস্ট শাহেদ রহমান ছেলেবেলায় মোটেই ধোয়া তুলসী পাতা ছিলেন না। ভেরি ফ্র্যাংকলি যদি কোনো পাতার সাথে তুলনা করতে হয় সেটি হবে বিছুটি পাতা!"

ছেলেবেলার কথা মনে করে দুই বন্ধু আবার খানিকক্ষণ হাসাহাসি করল। হাসাহাসি একটু কমে আসতেই রূপা বলল, "চাচ্চু, আপনার এই বাসাটা খুব সুন্দর।"

মতিন মাথা নেড়ে বলল, "এটা আমার বাসা না। এটা আমার পরিচিত একজনের বাসা। তার ছেলে একটু আধপাগলা ধরনের ছিল। ছেলেটা মারা যাবার পর পুরো ফেমিলি আমেরিকা চলে গেছে। আমাকে দায়িত্ব দিয়েছে বিক্রি করে দেবার জন্যে!"

রূপা তার আব্বু শাহেদের হাত ধরে বলল, "আব্বু তুমি এটা কিনে ফেলো!"

মতিন শাহেদের দিকে তাকিয়ে বলল, "এটা মন্দ আইডিয়া না। কিনে ফেল। ঢাকার বাইরে রিলাক্স করার একটা জায়গা পাবি।"

শাহেদ ভুরু কুঁচকে বলল, "তোর ধারণা আমি কচকচে টাকার উপরে শুয়ে থাকি? তুই জানিস আমার ব্যাংক লোন কতো?"

"ব্যাংক লোন না হয় আরো কিছু বাড়িয়ে নিলি—"

শাহেদ বাসাটার দিকে খানিকক্ষণ মুগ্ধ চোখে তাকিয়ে থেকে বলল, "তবে বাসাটা অপূর্ব। হ্রদের ধারে টিলার উপরে এতো সুন্দর সেটিং যে অবিশ্বাস্য ব্যাপার!"

মতিন বলল, "ডিসিশান নিয়ে নে, আমি তোকে পানির দরে কিনিয়ে দেব!"

রূপা শাহেদের হাত টেনে বলল, "কিনে ফেলো আব্বু।"

শাহেদ রূপার ঘাড় ধরে মৃদু ঝাঁকুনি দিয়ে বলল, "তোর কথা শুনে মনে হচ্ছে বাসা কিনে ফেলা বাজার থেকে ইলিশ মাছ কেনার মতো, ইচ্ছে হলেই কিনে ফেলা যায়!"

মতিন চোখ মটকে বলল, "বাসার বাইরে থেকে দেখেই তোরা মুগ্ধ হয়েছিস। ভিতরে গেলে একেবারে পাগল হয়ে যাবি! এতো সুন্দর ডিজাইন দেখা যায় না। অনেক সুন্দর বাসা আছে যেগুলো কেমন জানি বেশি সাজানো মনে হয়— এটা সেরকম নয়। এটা ভেরি ওয়ার্ম এন্ড কোজি।"

শাহেদ ভুরু কুঁচকে মতিনের দিকে তাকিয়ে বলল, "তুই কবে থেকে বাসার দালাল হয়ে গেলি? একেবারে রিয়েল এস্টেট এজেন্টের মতো কথা বলতে শুরু করেছিস!"

মতিন হা হা করে হেসে বলল, "পুরোপুরি এজেন্ট এখনো হতে পারি নি— তাই বাসার দুটো বড় ঝামেলার কথাও বলে দিই।"

রূপা চোখ বড় বড় করে বলল, "ঝামেলা?"

"হ্যাঁ। একটা কাল্পনিক আরেকটা বাস্তব।" মতিন রূপার দিকে তাকিয়ে বলল, "কাল্পনিকটা শুনে তুমি ভয় পাবে না তো?"

রূপা শংকিত চোখে মতিনের দিকে তাকিয়ে বলল, "না চাচ্চু, মনে হয় ভয় পাব না।"

"গুড। বাসার প্রথম ঝামেলা হচ্ছে এর সুনাম নিয়ে। এর কোনো সুনাম নেই, ভৌতিক বাসা হিসেবে এর দুর্নাম আছে!"

"ভৌতিক বাসা?"

"হ্যাঁ। এখানে যে মানুষটি থাকতো নাম ছিলো সেলিম। সে হঠাৎ করে মারা যায়— মৃত্যুটা মোটামুটি একটা অস্বাভাবিক মৃত্যু ছিলো। তাই সবাই এই বাসাটাকে হন্টেড হাউস বলে ভাবতে ভালোবাসে।"

রূপা ভয়ে ভয়ে বলল, "কী রকম হন্টেড হাউস, চাচ্চু? রাত্রিবেলা কেউ হাঁটাহাঁটি করে? হাসে?"

সেটা তো আমি জানি না! আমি বহু রাত এখানে থেকেছি, বিছানায় শোয়া মাত্রই ঘুম! ভূত হাঁটে নাকি হাসে সেটা তো জানি না।"

শাহেদ জিজ্ঞেস করল, "আর দ্বিতীয় ঝামেলাটা কী?"

"দ্বিতীয় ঝামেলা হচ্ছে এখানে যাওয়া-আসা নিয়ে। বাসাটা একেবারে শহরের বাইরে, নির্জন একটা জায়গায়। ধারেকাছে কোনো মানুষ থাকে না। হঠাৎ করে কোনো ইমার্জেন্সী হলে কোনো সাহায্য আসার কোনো সুযোগ নেই।"

শাহেদ ভুরু কুঁচকে বলল, "তুই এরকম জায়গায় আমাকে তুলে দিচ্ছিস?"

মতিন শাহেদের পিঠে থাবা দিয়ে হা হা করে হেসে বলল, "তোর ভয় পাওয়ার কোনো কারণ নেই। তোরা যে কয়দিন থাকবি সেই কয়দিন বাসায় পাহারার জন্যে আলাদা লোক থাকবে। সর্বক্ষণ তোদের জন্যে একটা গাড়ি আর ড্রাইভার থাকবে। রান্না করার জন্যে একটা বাবুর্চি, কাজকর্মে সাহায্য করার জন্যে দুইজন বয়। তুই যদি চাস তাহলে থানা থেকে পুলিশও নিয়ে এসে রাখতে পারি।"

শাহেদ বলল, "থাক! এখানে এসেছি নিরিবিলি কয়েক দিন থাকার জন্যে— তুই যদি পুলিশ আর বিডিআর দিয়ে বাসা বোঝাই করে ফেলিস তাহলে তো মুশকিল!"

"আসলে পুরো এলাকাটা অসম্ভব সেফ। তোরা তো ঢাকা থেকে এসেছিস সেজন্যে বলছি। ঢাকার মানুষ হচ্ছে প্যারানয়েড, কেউ কাউকে বিশ্বাস করে

১৬

না। সব সময় ভয়ে ভয়ে থাকে যে কেউ বুঝি ডাকাতি করে ফেলল, খুন করে ফেলল, ছিনতাই করে ফেলল।"

রূপা বলল, "আব্বু চল বাসার ভিতরে যাই! তোমরা বাইরে থেকেই মনে হচ্ছে সব গল্প শেষ করে ফেলবে!"

মতিন বলল, "হ্যাঁ, ঠিকই বলেছ। চল ভেতরে যাই।"

বাসার ভেতর থেকে দুইজন লোক এসে শাহেদ আর রূপার স্যুটকেস ব্যাগ এসব নিয়ে বাসার ভেতরে যেতে থাকে। মতিন শাহেদ আর রূপাকে নিয়ে তাদের পিছন পিছনে বাসার ভিতরে এসে ঢুকলো।

ঘরের ভেতরে পা দিতেই রূপার খুব বিচিত্র একটা অনুভূতি হয়, হঠাৎ করে মনে হলো ঘরটা খুব ঠাণ্ডা, তার সারা শরীর কেমন যেন কাঁটা দিয়ে ওঠে। শুধু তাই না, রূপার হঠাৎ করে মনে হলো কেউ একজন তার দিকে তাকিয়ে আছে। রূপা মাথা ঘুরিয়ে চারিদিকে তাকালো, কেউ তার দিকে তাকিয়ে নেই কিন্তু তারপরেও কী ভয়ংকর বাস্তব অনুভূতি!

বাসাটি খুব সুন্দর করে সাজানো। দামী সেগুন কাঠের ফার্নিচার, দেয়ালে তেলরঙের ছবি। শাহেদ একটা ছবির সামনে দাঁড়িয়ে বলল, "এটা কার পোর্ট্রেট?"

মতিন কয়েক পা এগিয়ে গিয়ে শাহেদের পাশে দাঁড়িয়ে বলল, "সেলিমের। এই বাসার যে মানুষটি মারা গিয়েছিল— সেই সেলিম।"

শাহেদ বলল, "কী সুন্দর পোর্ট্রেট!"

"হ্যাঁ প্যারিসে করিয়েছিল। অসম্ভব ভালো কাজ।"

রূপা শাহেদ আর মতিনের পাশে গিয়ে দাঁড়িয়ে পোর্ট্রেটের দিকে তাকাতেই কেমন যেন চমকে উঠল। পোর্ট্রেটে তেইশ-চব্বিশ বছরের একটা ছেলের ছবি, মাথায় এলেমেলো ঝাঁকড়া চুল, অস্বাভাবিক তীক্ষ্ণ চোখ এবং মুখে এক ধরনের ক্রুর হাসি। রূপা কেমন জানি সম্মোহিতের মতো ছবিটার দিকে তাকিয়ে থাকে। তার মনে হতে থাকে এলেমেলো চুলের এই নিষ্ঠুর চেহারার মানুষটি বুঝি ছবি নয়, এটি যেন একটা জীবন্ত মানুষ, যেন সত্যি সত্যি ক্রুর একটা হাসি দিয়ে তার দিকে তাকিয়ে আছে। রূপা কেমন জানি শিউরে উঠে একপাশে সরে গেলো, তার মনে হতে থাকে মানুষটি বুঝি হঠাৎ করে ছবির ভেতর থেকে বের হয়ে আসবে। রূপা সরে যাবার পরেও ছবির মানুষটি তার দিকে তাকিয়ে রইল— ঘরের কোথাও গিয়ে এই মানুষটির দৃষ্টি থেকে সরে যাবার উপায় নেই। রূপা হঠাৎ করে বিচিত্র এক ধরনের অস্বস্তি অনুভব করতে থাকে।

মতিন রূপার কাছে এগিয়ে এসে বলল, "এসো মা, তোমাকে তোমার ঘর দেখিয়ে দিই।"

"চলেন।" রূপা এই ঘর থেকে সরে যাবার সুযোগ পেয়ে খুশি হয়ে উঠল।

মতিনের কথা সত্যি— এই বাসার ভেতরটুকু বাইরের থেকেও সুন্দর। যিনি থাকতেন তার রুচি চমৎকার সবকিছুতেই সেটা বোঝা যায়। হঠাৎ করে সে চলে গেছে কিন্তু তার দৈনন্দিন জীবনের সবকিছু এখানে রেখে গেছে।

রূপার ঘরটি বড়, জানালা দিয়ে বাইরে বিস্তৃত হ্রদ দেখা যায়। ঘরের মেঝেতে রঙীন ছোট ছোট কার্পেট বিছানো রয়েছে। বড় খাট, মাথার কাছে তাকে বই সাজানো, শুয়ে শুয়ে বই পড়া যাবে। একপাশে ছোট ড্রেসিংটেবিল। লেখাপড়া করার জন্যে একপাশে একটা ডেস্ক আর একটা সুদৃশ্য চেয়ার। ঘরে ঢুকলেই মন ভালো হয়ে যায়। তবে ঘরের সবচেয়ে বড় বৈশিষ্ট্য হচ্ছে দেয়ালে লাগানো বিশাল আয়না, এতো সুন্দর আয়না রূপা আগে কখনো দেখেছে বলে মনে পড়ে না। রূপা মুগ্ধ দৃষ্টিতে আয়নায় নিজের দিকে তাকিয়ে রইল। মতিন বলল, "ঘর পছন্দ হয়েছে মা?"

"হ্যাঁ, চাচ্চু পছন্দ হয়েছে। আয়নাটা কী সুন্দর!"

"বেলজিয়াম থেকে এনেছে। এতো বড় আয়না আনা কী সোজা কাজ? বড়লোকের শখ বলে কথা।"

শাহেদ বলল, "দামী আয়না কোনো সন্দেহ নেই। আমাকে দেখতেও এখানে ভালো লাগছে।"

"হ্যাঁ।" মতিন হা হা করে হেসে বলল, "এই আয়নায় সবাইকে ভালো দেখায়।"

শাহেদ জানতে চাইল, "আমার ঘর কোনটা?"

"সব মিলিয়ে এখানে চারটা বেডরুম— তুই বেছে নে কোথায় থাকবি! আয় তোকে বেডরুমগুলো দেখাই।"

সবগুলো ঘর দেখে শাহেদ ঠিক রূপার বেডরুমের পাশের বেডরুমটি বেছে নিল। এই ঘরটি থেকেও আদিগন্ত বিস্তৃত হ্রদটিকে দেখা যায়, জানালা খুললেই ঘরের ভেতরে উথালপাতাল বাতাস হুটোপুটি খেতে থাকে।

রাতের খাবারটি হলো চমৎকার। বড় ডাইনিং টেবিলে সুন্দর করে সব সাজিয়ে দিয়েছে। শাহেদ রূপাকে মানুষ করতে গিয়ে যে কাজে ব্যর্থ হয়েছে সেটি হচ্ছে তাকে মাছ খেতে শেখানো। খাবার টেবিলে কোনো মাছ নেই তাই

রূপার মুখে হাসি। খাওয়া শেষ হবার পর মতিন বিদায় নিয়ে চলে গেলো, ভোরবেলা সে আবার খোঁজ নিতে আসবে।

রূপা আর শাহেদ মিলে তাদের কয়েকদিনের বাসাটি ঘুরে ঘুরে দেখলো। তাদের সবচেয়ে পছন্দ হলো লাইব্রেরী ঘরটি, ঘরের ছাদ থেকে নিচ পর্যন্ত শুধু বই আর বই। রূপা বইগুলো দেখলো, বেশিরভাগই কটমটে প্রবন্ধের বই, বেশিরভাগই ইংরেজি। এক কোনায় একটা দামী সাউন্ড সিস্টেম, সুইচ টিপে দিতেই পাশ্চাত্য একটি ক্ল্যাসিক্যাল মিউজিক বাজতে থাকে। এখানে যে মানুষটি ছিল তার রুচির ছাপ এখানেও রয়ে গেছে। লাইব্রেরীর মাঝামাঝি খুব আরামদায়ক একটা চেয়ার, আধশোয়া হয়ে পা তুলে দেবার একটা ব্যবস্থা আছে। রূপা চেয়ারটিতে বসে পা তুলে দিয়ে বলল, "আব্বু এই চেয়ারটা আমার। আগে থেকে রিজার্ভ করে রাখলাম।"

শাহেদ মাথা নেড়ে বলল, "ওসব চলবে না। যে আগে আসবে তার।"

"তাহলে কেমন করে হবে? তুমি ঘুম থেকে উঠো শেষরাতে— তোমার সাথে কে পারবে।"

"তুইও ওঠ। তোকে নিষেধ করেছে কে?"

"পৃথিবীর মাঝে যে সব ভালো জিনিস আছে তার একটা হচ্ছে ঘুম। আমি সেটা ছেড়ে দেব?"

"যত ভালোই হোক বেশি কোনোটাই ভালো না। রসমালাই খেতে খুব ভালো একদিন দুই কেজি রসমালাই খেয়ে দেখিস তোর কী অবস্থা হয়!"

রূপা তার আব্বুকে ছোট একটা ধাক্কা দিয়ে বলল, "ইশ আব্বু! তুমি যে কী বাজে কথা বলতে পার! কেমন করে তুমি অফিসে কাজকর্ম কর বুঝতেই পারি না।"

শাহেদ চোখ পাকিয়ে বলল, "আমরা এখন ভ্যাকেশানে। খবরদার অফিসের কথা মুখে আনবি না। ঘাড় ভেঙ্গে ফেলব।"

রাত্রিবেলা বিছানায় শুয়ে শুয়ে রূপা তার মাথার কাছে রাখা বইগুলো থেকে একটা বই টেনে নেয়, ইংরেজী বই, নাম প্রাচীন প্রেতচর্চা। বইয়ে নানা ধরনের ছবি, এই রাত্রিবেলা সেগুলো দেখে রূপার কেমন জানি গায়ে কাঁটা দিয়ে ওঠে। সে তাড়াতাড়ি বইটা রেখে দিয়ে তার নিজের একটা বই টেনে নিল। এটা রোমান্টিক উপন্যাস, নায়ক এবং নায়িকা কী করবে সেটা আগে থেকে অনুমান করা যায় তাই পড়তে বেশ লাগে।

শোয়ার আগে শাহেদ রূপাকে দেখতে এলো, জিজ্ঞেস করল, "রাত্রে ভয় পাবি না তো?"

"যদি ভূত-টূত না আসে ভয় পাব না।"

"এলেও ভয় পাস নে— আমি পাশের ঘরে, দরজা খোলা। ডাক দিলেই চলে আসব। ভূতের বাবার বারোটা বাজিয়ে ছেড়ে দেব।"

'ঠিক আছে আব্বু। একলা থেকে আমার অভ্যাস আছে।"

গভীর রাতে রূপার ঘুম ভেঙ্গে গেল, ঘরের ভেতর মনে হচ্ছে কনকনে শীত। কিন্তু রূপার সেজন্যে ঘুম ভাঙ্গে নি— তার ঘুম ভেঙ্গেছে অন্য কোনো কারণে কিন্তু কারণটা কী সে ধরতে পারছে না। তার কেন জানি মনে হতে থাকে খুব অশুভ একটা ব্যাপার ঘটেছে, কোনো একটা ভয়ংকর, মন খারাপ করা ব্যাপার কিন্তু সেটা কী সে ধরতে পারছে না। কম্বল মুড়ি দিয়ে শুয়ে অকারণে সে ভয়ে ঠকঠক করে কাঁপতে থাকে, একবার তার ইচ্ছে করে আব্বুকে ডাকে কিন্তু তার সাহস হলো না। কম্বলের ফাঁক দিয়ে বাইরে তাকালো, ঘরের ভেতর আবছা অন্ধকার শুধু আয়নাটায় এক ধরনের ঔজ্জ্বল্য। মনে হয় এটি বুঝি আয়না নয়, এটি একটি অশরীরী জগতের দরজা— এর অন্যপাশে অন্য একটি অশুভ জগৎ। অসংখ্য অশরীরী প্রাণী যেন এই দরজার সামনে দাঁড়িয়ে আছে— ঘরের দরজা ভেঙ্গে এই পৃথিবীতে প্রবেশ করার জন্যে অপেক্ষা করছে।

রূপা কম্বল দিয়ে নাকমুখ ঢেকে শুয়ে রইল, তার মনে হতে লাগলো ঘরের ভেতরে কেউ একজন দীর্ঘশ্বাস ফেলছে। অতৃপ্ত কোনো একজন মানুষের দীর্ঘশ্বাস। বুকভাঙ্গা দীর্ঘশ্বাস। রূপা তার ভেতরে কম্বল দিয়ে নিজেকে আপাদমস্তক ঢেকে থরথর করে কাঁপতে লাগলো।

নাস্তার টেবিলে শাহেদ জিজ্ঞেস করল, "রূপা, রাতে ভালো ঘুম হয়েছিল?"

"হ্যাঁ।" রূপা তার টোস্টে মাখন লাগাতে লাগাতে বলল, "তবে—"

"তবে কী?"

"রাত্রে যখন ঘরে ভূত এসেছিল তখন একবার ঘুম ভেঙ্গে গিয়েছিল।"

শাহেদ হাসি হাসি মুখে বলল, "এসেছিল নাকি ভূত? কেন এসেছিল— ভোট চাইতে? ভূতদের ওয়ার্ড কমিশনারের ইলেকশান হচ্ছে নাকি?"

রূপা গম্ভীর মুখে বলল, "না, আব্বু, মোটেও ঠাট্টা না। গভীর রাতে আমার ঘুম ভেঙ্গে গিয়েছিল, ঘরের মাঝে তখন নিশ্বাসের শব্দ। আয়নাটা থেকে আলো বের হচ্ছে—"

শাহেদ হা হা করে হাসল, তখন রূপারও পুরো ব্যাপারটা হাস্যকর মনে হতে থাকে। তারপরও সে চেষ্টা করল, "তুমি আমার কথা বিশ্বাস করছ না?"

"কে বলেছে করছি না?"

"তাহলে?"

"তাহলে কী?"

"তোমার মেয়ের ঘরে ভূত হাঁটাহাঁটি করে লম্বা লম্বা দীর্ঘশ্বাস ফেলছে সেটা শুনে তোমার দুশ্চিন্তা লাগছে না?"

"লম্বা লম্বা দীর্ঘশ্বাস ফেলে দুঃখী ভূতেরা। এদেরকে ভয় পাওয়ার কিছু নেই। যদি খ্যাপা কিংবা বদরাগী ভূত আসে তখন দেখা যাবে!"

এরকম সময় গেটে গাড়ির শব্দ হলো, শাহেদের বন্ধু মতিন চলে এসেছে, ভূতের আলোচনাটা আপাতত বন্ধ হয়ে গেলো।

শাহেদ যদিও বলেছিল সে দিনরাত বিছানায় শুয়ে শুয়ে গল্প বই পড়বে, কিন্তু দেখা গেলো হ্রদ এবং পুরানো বন্ধুকে পেয়ে তার নানারকম শখ চাগিয়ে উঠেছে। মাছ ধরার নানা ধরনের সরঞ্জাম কোথায় পাওয়া যায় সেটা নিয়ে আলোচনা শুরু হলো এবং দুপুরবেলার দিকে দুই বন্ধুকে গভীর মনোযোগ দিয়ে ছিপ পেতে মাছ ধরতে দেখা গেলো। রূপা এর আগে কখনো কাউকে ছিপ দিয়ে মাছ ধরতে দেখে নি— ব্যাপারটা কীভাবে করা হয় দেখার জন্যে সে প্রথমে খানিকটা কৌতূহল নিয়ে অপেক্ষা করল কিন্তু কিছুক্ষণের মাঝেই আবিষ্কার করল পৃথিবীতে এর চাইতে নিরুত্তেজক কোনো ব্যাপার হতে পারে না। দুইজন বয়স্ক মানুষ একটি কথাও না বলে কীভাবে ঘণ্টার পর ঘণ্টা ফাৎনার দিকে তাকিয়ে ধৈর্য ধরে বসে থাকতে পারে, রূপা সেটা ভেবেই পেলো না! খানিকক্ষণ গাছের ছায়ায় বসে থেকে শেষ পর্যন্ত রূপা বাসার ভিতরে ফিরে যায়। বিছানায় আধশোয়া হয়ে তার আব্বুর যে জিনিসটা করার কথা ছিল রূপা সেটাই করতে শুরু করে, একটা বই খুলে বসে। বইটি খানিকটা ঢিলেঢালা প্রকৃতির পড়তে পড়তে কখন ঘুমিয়ে পড়ল তার মনে নেই।

তার ঘুম ভাঙ্গল ঝুম দুপুরে, যখন কিছুক্ষণের জন্যে সবকিছু কেমন যেন মন্থর হয়ে আসে। রূপা জানালার কাছে দাঁড়িয়ে দেখল আব্বুর বাল্যবন্ধু মতিন নেই, আব্বু একা গভীর মনোযোগ দিয়ে ফাৎনার দিকে তাকিয়ে আছেন। তবে আগের মতো শিরদাঁড়া সোজা নয়, খানিকটা হেলিয়ে পড়েছেন। রূপা বাইরে

যাবে কীনা চিন্তা করল, কিন্তু তার কেমন যেন আলস্য লাগলো। এটা আসলেই পোড়াবাড়ি কী না কে জানে, কিন্তু পুরো বাসাটায় কেমন জানি একটি ছমছমে ভাব আছে, রাতের বেলা ঠিক বোঝা যায় নি, কিন্তু ভরদুপুরে সেটা কেমন জানি স্পষ্ট হয়ে এসেছে।

রূপা বিছানায় হেলান দিয়ে মাথার কাছে তাক দেখে গত রাতের বইটা টেনে নেয়। প্রাচীন প্রেত চর্চার ওপরে বই, রাত্রিবেলা দেখতে ভয় ভয় করছিল, ভরদুপুরে দেখতে কোনো অসুবিধে নেই। বইটা খুলতেই হঠাৎ টুক করে একটা কাগজ নিচে পড়ল। রূপা নিচু হয়ে কাগজটা তুলে নেয়। রুল টানা একটা ভাঁজ করা কাগজ। ভাঁজ খুলতেই দেখা গেলো একজনের কাঁচা হাতে লেখা। রূপা কৌতূহল নিয়ে পড়ে :

> দুই হাত মুষ্টিবদ্ধ, ডান হাতের ওপর বাম হাত বুকের ওপর ক্রস করে চেপে রাখ। চোখ বন্ধ করে সাঁইত্রিশবার মৃত মানুষের নাম উচ্চারণ করো। চোখ খুলে আয়নার দিকে তাকাও, দৃষ্টি নিবদ্ধ করো বহু দূরে। পেছনের দৃশ্য ঝাপসা হয়ে মিলিয়ে যাবে।
> তখন আয়নায় নিজের মুখের দিকে তাকাও, মৃত মানুষের মুখ দেখতে পাবে। নিশিরাত্রিতে অনুজ্জ্বল আলো সবচেয়ে কার্যকরী পদ্ধতি।

রূপা খানিকটা বিস্ময় নিয়ে হাতে লেখা কাগজটির দিকে তাকিয়ে থাকে। কে লিখেছে এটা? কেন লিখেছে? একজন মৃত মানুষের নাম সাঁইত্রিশবার উচ্চারণ করলেই তাকে দেখা যাবে? চেষ্টা করে দেখবে?

রূপা বড় বেলজিয়াম কাঁচের তৈরি আয়নার সামনে দাঁড়িয়ে দুই হাত বুকের উপর চেপে ধরে চোখ বন্ধ করল। এখন একজন মৃত মানুষের নাম সাঁইত্রিশবার উচ্চারণ করতে হবে? কে আছে পরিচিত মৃত মানুষ? এই বাসায় থাকতো যে মানুষটি তাকে ডাকলে কেমন হয়? রূপা মনে মনে উচ্চারণ করলো, "সেলিম সেলিম সেলিম—"

কড়ে আঙ্গুলে হিসেব করে সাঁইত্রিশবার ডেকে রূপা চোখ খুলে তাকালো, আয়নার সামনে সে দাঁড়িয়ে আছে। না, কোনো মৃত মানুষের মুখ নয় আয়নায় তার নিজের মুখই দেখা যাচ্ছে। রূপা নিজের মুখের দিকে তাকিয়ে থাকতে থাকতে হঠাৎ চমকে ওঠে, তার নিজেকে হঠাৎ করে অপরিচিত মানুষের মতো লাগছে কেন? সে বিস্ফারিত চোখে নিজের মুখের দিকে তাকিয়ে থাকে, মুখের আদল বদলে যাচ্ছে তার, এলোমেলো চুল বাতাসে উড়ছে। ধীরে ধীরে তার

মুখমণ্ডল পাল্টে যাচ্ছে কঠিন একটা মুখে। চোখের দৃষ্টি তীব্র, মনে হয় শুধু মাত্র দৃষ্টি দিয়েই বুকের ভেতর ছিন্নভিন্ন করে দেবে। মুখের কোনায় নিষ্ঠুর ক্রুর একটা হাসি। কে এই মানুষটি? কোথা থেকে এসেছে?

হঠাৎ করে অমানুষিক একটা আতংক এসে ভর করে রূপার উপরে। চাপা একটা আর্ত চিৎকার করে দুই হাতে মুখ ঢেকে ফেলল সে, তার নিজের মুখের দিকে তাকানোর সাহস নেই আর। কয়েক মুহূর্ত স্থির হয়ে দাড়িয়ে রইলো সে, ফিসফিস করে নিজেকে বলল, ভুল দেখছি আমি। ভুল। ভুল। আবার চোখ খুলে তাকালে দেখবে কেউ নেই। পরিষ্কার দিনের বেলা, বাইরে ঝকঝকে রোদ এর মাঝে ভয়ের কিছু নেই। ভয়ের কিছু থাকতে পারে না। রূপা আবার চোখ খুলে নিজের দিকে তাকালো, সত্যিই কেউ নেই, সে আয়নার সামনে দাঁড়িয়ে আছে। ভীত এবং আতংকিত।

রূপা কাগজটা বইয়ের নিচে চাপা দিয়ে ঘর থেকে বের হয়ে এলো, তার শরীর তখনো থরথর করে কাঁপছে।

রূপা যখন হ্রদের তীরে পৌঁছালো তখন সেখানে তুলকালাম কাণ্ড ঘটছে। শাহেদের ছিপে একটা বিশাল মাছ আটকা পড়েছে, সুতো টেনে সেই মাছ হ্রদের ভেতরে ছুটে যাচ্ছে, কড় কড় শব্দ করে হুইল ঘুরছে। শক্ত করে ছিপ ধরে রেখে শাহেদ হুইল ঘুরিয়ে খেলিয়ে মাছটাকে কাছে আনার চেষ্টা করছে। কাজটি নিশ্চয়ই সহজ নয়, একটু অসতর্ক হলেই সুতো ছিঁড়ে মাছ ছুটে পালিয়ে যাবে! প্রায় মিনিট দশেক খেলিয়ে শাহেদ শেষ পর্যন্ত মাছটাকে তুলে আনে, বিশাল একটা মৃগেল মাছ, খাবি খেতে খেতে ছটফট করছে! শাহেদ রাজ্য জয় করার ভঙ্গি করে মাছটির কানকো ধরে উঁচু করে রূপাকে বলল, "দেখলি? দেখলি কীভাবে ধরেছি?"

রূপা এসেছিল তার নিজের কথা বলতে, কিন্তু এখন মাছ ধরার উত্তেজনায় সেটা বলার সুযোগ পেলো না। ক্যামেরা আনা হলো এবং মাছটিকে নানা ভঙ্গিতে ধরে ছবি তোলা হলো। ছিপ দিয়ে এতো বড় একটা মাছ ধরার পর সেটা নিশ্চয়ই সবাইকে দেখানোর ইচ্ছে করে, কাজেই কিছুক্ষণের মাঝেই শাহেদ রূপাকে এবং সেই বিশাল মৃগেল মাছ নিয়ে তার বন্ধু মতিনের বাসায় রওনা হলো।

মৃগেল মাছটিকে দেখিয়ে কেটেকুটে রান্না করে খেয়ে শাহেদ যখন রূপাকে নিয়ে তার বাসায় ফিরে এলো, তখন গভীর রাত। ঘরে ঢুকে শাহেদ হঠাৎ জিজ্ঞেস করল, "রূপা মা তুই আজকে হঠাৎ এতো চুপচাপ কেন?"

রূপা দুর্বলভাবে মাথা নেড়ে বলল, "না কিছু না।"

"কিছু না মানে কী?" শাহেদ ভুরু কুঁচকে বলল, "তোর শরীর খারাপ নাকি?"

"না। শরীর ঠিকই আছে।"

"তাহলে?"

"না, মানে ইয়ে—" ইতস্তত করে সে বলেই ফেলল, "দুপুরবেলা আজকে হঠাৎ ভয় পেয়েছিলাম।"

শাহেদ অবাক হয়ে বলল, "কী দেখে ভয় পেয়েছিলি?"

"আয়নায় একটা মানুষ—"

"আয়নায় মানুষ?" শাহেদ কিছু বুঝতে পারল না, মাথা নেড়ে বলল, "কোন আয়নায়? কী মানুষ?"

রূপা একটু বিষণ্ন মুখে বলল, "একটা বইয়ের ভিতরে হাতে লেখা কাগজ ছিল। সেই কাগজে লেখা ছিল—"

"কী লেখা ছিল?"

"লেখা ছিল কোনো মৃত মানুষের নাম সাঁইত্রিশবার বললে তাকে আয়নায় দেখা যাবে।"

শাহেদ কঠিন মুখে বলল, "আর তুই সাঁইত্রিশবার কারো নাম বলে সেই মানুষটিকে দেখেছিস?"

রূপা মাথা নাড়ল। শাহেদ হাল ছেড়ে দেয়ার ভঙ্গিতে মাথা নেড়ে বলল, "তুই আমাকে এই কথাটা বিশ্বাস করতে বলিস?"

রূপা কাতর গলায় বলল, "আব্বু, তুমি বিশ্বাস করো, আমি সত্যি দেখেছি।"

"কাকে দেখেছিস?"

"এই বাসায় যে মানুষটি মারা গিয়েছিল তাকে, নাম মনে হয় সেলিম।"

শাহেদ কী বলবে বুঝতে পারল না, এক ধরনের বিস্ময় নিয়ে সে রূপার দিকে তাকিয়ে রইল। রূপা করুণ মুখে বলল, "আব্বু, হতে পারে পুরো জিনিসটা ভুল। কিন্তু আব্বু তুমি বিশ্বাস করো আমার ভয়টা ভুল না। আমার ভয়টা সত্যি।"

শাহেদ এগিয়ে গিয়ে রূপাকে শক্ত করে ধরে বলল, "ধুর পাগলী মেয়ে, ভয় পাবার কী আছে? আমি আছি না?"

রূপা ফুঁপিয়ে কেঁদে উঠে বলল, "আমার ভয় করছে, আব্বু। আমি আজকে তোমার সাথে ঘুমাব।"

"ঠিক আছে।"

"আমি আর এই ঘরে থাকব না— তোমার ঘরে থাকব।"

শাহেদ হেসে বলল, "তুই যদি চাস তাহলে তাই করিস। কিন্তু আমি একটা কথা বলি।"

"কী কথা?"

"কখনো কোনো কিছু নিয়ে ভয় পেলে সেটাকে পাশ কাটিয়ে যেতে হয় না, তার মুখোমুখি হতে হয়। নিজের কাছে প্রমাণ করতে হয় ব্যাপারটি মিথ্যা। তুই যদি এখন এই ঘরে না ঘুমিয়ে আমার ঘরে ঘুমাস তাহলে সারা জীবনের জন্যে ভীতু হয়ে যাবি!"

রূপা প্রশ্নের ভঙ্গিতে শাহেদের দিকে তাকালো, জিজ্ঞেস করল, "তার মানে কী?"

"তোকে আজকে এই ঘরেই ঘুমাতে হবে।"

রূপা ভয় পেয়ে মাথা নাড়ল, "না।"

"তোর কোনো ভয় নেই, তোকে একা থাকতে হবে না। আমি তোর সাথে থাকব।"

"রাত্রে আমার সাথে ঘুমাবে তো?"

"হ্যাঁ। রাত্রে তোর সাথে ঘুমাব।"

"সব সময় আমার সাথে থাকবে তো?"

"সব সময় তোর সাথে থাকব।"

রূপার মুখে একটু হাসি ফুটলো, বলল, "ঠিক আছে তাহলে।"

রূপা বিছানায় শুয়েছে, শাহেদ তার পাশে বালিশে হেলান দিয়ে একটা বই পড়ছে। বেশ রাত হয়েছে, খুব সহজে রূপার চোখে ঘুম আসে নি, অনেকক্ষণ বিছানায় শুয়ে ছটফট করে শেষ পর্যন্ত শান্ত হয়ে ঘুমিয়ে গেছে। শাহেদ এক ধরনের স্নেহ নিয়ে মেয়েটির দিকে তাকালো, দেখতে দেখতে কতো বড় হয়ে গেছে। পনেরো বছরের বাড়ন্ত মেয়ে কিন্তু ভেতরে ভেতরে কোথায় জানি এখনো একটা বাচ্চার মতো। এই ভয় পাওয়ার ব্যাপারটিই ধরা যাক— এতো বড় একজন মানুষ কী দিন দুপুরে এরকম ভয় পেতে পারে? শাহেদ আপন মনে একটু হেসে আবার তার বইয়ে মন দিলো।

রূপা ঘুমের ঘোরে কিছু একটা বলে বিছানায় পাশ ফিরে শুলো, শাহেদ কম্বলটা দিয়ে তাকে ভালো করে ঢেকে দেয়— শাহেদ হঠাৎ লক্ষ্য করে ঘরটা

কেমন জানি অস্বাভাবিক ঠাণ্ডা। শুধু যে ঠাণ্ডা তাই নয় ঘরটায় কেমন জানি বিচিত্র এক ধরনের নিস্তব্ধতা। শাহেদ এক ধরনের বিস্ময় নিয়ে লক্ষ্য করে হঠাৎ করে তার কেমন জানি অস্থির লাগছে। ভেতরে ভেতরে একটা চাপা ভয় আর আতংক এসে ভর করতে শুরু করেছে। শাহেদ জোর করে মাথা থেকে সবকিছু সরিয়ে দিয়ে তার বইয়ে মন দিলো আর ঠিক তখন খুব কাছে কোথাও একটা দীর্ঘশ্বাস শুনতে পেলো। শাহেদ চমকে উঠে মাথা তুলে তাকালো তার স্পষ্ট মনে হলো কেউ একজন সামনে থেকে সরে গেছে! কিন্তু এখানে সরে যাবার কোনো জায়গা নেই, পুরোটাই তার মনের ভুল। শাহেদ জোর করে নিজেকে শান্ত করার চেষ্টা করে। রূপার মতো সেও যদি ভয় পেতে শুরু করে তাহলে তো মুশকিল!

ঠিক তখন দূরে কোনো একটা ঘরে দরজা খোলার শব্দ হলো। শাহেদ চাপা গলায় জিজ্ঞেস করল, "কে?"

কোনো উত্তর নেই, কিন্তু সে স্পষ্ট পায়ের শব্দ শুনলো। এতো রাত্রে কে আসবে এখানে? বাসার বয় বাবুর্চি এবং ড্রাইভার নিচের ঘরে থাকে। উপরে ওঠার সিঁড়িটা সে নিজের হাতে বন্ধ করে এসেছে। শাহেদ আবার অন্য একটা দরজা খোলার শব্দ শুনলো, এবারে ঠিক পাশের ঘরে। ক্যাঁচ ক্যাঁচ শব্দ করে দীর্ঘ সময় নিয়ে দরজাটি খুললো আবার ক্যাঁচ ক্যাঁচ শব্দ করে দরজাটি বন্ধ হলো।

শাহেদ রূপার দিকে তাকালো, শান্ত হয়ে গুটিশুটি মেরে ঘুমাচ্ছে মেয়েটি। সে বিছানা থেকে উঠে দাঁড়াল, পাশের ঘরে কে এসেছে দেখা দরকার। শাহেদ ঘরের দরজা খুলে পাশের ঘরে গেলো, ঘরটি খালি, কেউ কোথাও নেই। কী আশ্চর্য, সে কী স্পষ্ট শুনতে পেলো কেউ একজন দরজা খুলে এসে ঢুকেছে। শাহেদ খানিকটা হতচকিত হয়ে আরো কয়েক পা অগ্রসর হয়ে ঘরের মাঝামাঝি এসে দাঁড়াল এবং তখন হঠাৎ করে রূপার ঘরের দরজাটি শব্দ করে বন্ধ হয়ে গেলো। স্পষ্ট মনে হলো কেউ একজন টেনে দরজাটি ভিতর থেকে বন্ধ করে দিয়েছে।

শাহেদ ছুটে গিয়ে দরজার পাল্লা ধরে টেনে খোলার চেষ্টা করল কিন্তু সেটা শক্ত করে বন্ধ। ভেতরে রূপা একা। শাহেদ দরজায় হাত দিয়ে শব্দ করে চিৎকার করে ডাকতে থাকে, "রূপা, রূপা।"

ভেতরে হুটোপুটির মতো এক ধরনের শব্দ হলো, মনে হলো ফিসফিস করে চাপা গলায় কেউ কথা বলছে। শাহেদ আবার দরজায় ধাক্কা দিলো এবং ঠিক তখন ভিতরে রূপার ভয়ংকর আর্ত চিৎকার শুনতে পেলো।

শাহেদ ভয়ে আতংকে পাগলের মতো হয়ে গেলো, সমস্ত শক্তি দিয়ে দরজায় ধাক্কা দিতে দিতে চিৎকার করতে থাকে, "রূপা, রূপা, মা, দরজা খুলে দে—"

শাহেদ শুনতে পেলো ভেতরে রূপা আকুল হয়ে কাঁদছে। কাঁদতে কাঁদতে বলছে, "পারব না আব্বু।"

"কেন পারবি না?"

"দরজার সামনে দাঁড়িয়ে আছে। আমাকে যেতে দেবে না।" ভয়ংকর আতংকে রূপা চিৎকার করতে থাকে। অমানুষিক চিৎকার।

শাহেদ দরজায় আবার ধাক্কা দিলো, শক্ত কাঠের দরজা সে ভাঙ্গতে পারবে না। এটা ভাঙ্গার জন্যে শাবল, কুড়াল কিছু একটা লাগবে। শাহেদ ছুটে সিঁড়ির কাছে গিয়ে দরজা খুলে চিৎকার করতে করতে নিচে নামতে থাকে, বাবুর্চির ঘরের সামনে গিয়ে দরজায় ধাক্কা দিতেই ভীত মুখে সে দরজা খুলে দিল, কাঁপা গলায় বলল, "কী হয়েছে সাহেব?"

"একটা কুড়াল না হলে শাবল। তাড়াতাড়ি।"

"কেন সাহেব?"

"দরজা ভাঙ্গতে হবে—" শাহেদ অধৈর্য হয়ে বলল, "তাড়াতাড়ি। আমার মেয়ে আটকা পড়েছে।"

বাবুর্চি থরথর করে কাঁপতে কাঁপতে বলল, "লা ইলাহা ইল্লাল্লা—"

শাহেদ চিৎকার করে বলল, "তাড়াতাড়ি দাও। কোথায় আছে?"

"দানো এসেছে সাহেব। এই বাড়ীতে দানো থাকে। আমি জানি। ছাড়বে না— কাউকে ছাড়বে না—"

শাহেদ বাবুর্চির কাঁধ আঁকড়ে ঝাঁকুনি দিতে দিতে হিংস্র গলায় বলল, "এক্ষুনি দাও আমাকে না হলে তোমাকে আমি খুন করে ফেলব।"

"দেই সাহেব, দেই—" বাবুর্চি কাঁপতে কাঁপতে স্টোর রুম থেকে একটা লাকড়ি কাটার কুড়াল এনে দিল।

শাহেদ কুড়াল নিয়ে আবার ছুটতে ছুটতে উপরে উঠে গেলো, দরজার সামনে দাঁড়িয়ে চিৎকার করে বলল, "রূপা মা, কোনো ভয় নেই মা। আমি আসছি।"

ভেতর থেকে শুধু একটা চাপা গোঙ্গানীর মতো শুনতে পেলো শাহেদ। কুড়াল হাতে নিয়ে সে দরজাটা কোপাতে শুরু করল। কিছুক্ষণেই ছিটকিনি ভেঙ্গে সে ভেতরে ঢুকে যায়। ঘরের ভেতর ভয়ংকর ঠাণ্ডা, শাহেদের সমস্ত

শরীর কাঁটা দিয়ে ওঠে। বিছানার এক কোনায় রূপা গুটিশুটি মেরে বসে আছে, তার চোখেমুখে অবর্ণনীয় আতংক, অপ্রকৃতস্থের মতো সে থরথর করে কাঁপছে। শাহেদ একটু এগিয়ে যেতেই হঠাৎ করে পুরো বিছানাটি থরথর করে কাঁপতে থাকে, রূপা কাতর গলায় চিৎকার করে বলল, "আমার ভয় করছে আব্বু! ভয় করছে।"

"তোর কোনো ভয় নেই। আমি এসে গেছি।" শাহেদ বিছানার কাছে দাঁড়িয়ে হাত বাড়িয়ে দিয়ে বলল, "আয় মা আমার কাছে।"

রূপা মাথা নাড়ল, "আমি আসতে পারছি না আব্বু।"

"কেন আসতে পারছিস না?"

"আমাকে আসতে দিচ্ছে না! আমাকে ধরে ফেলেছে আব্বু— ধরে ফেলেছে!" রূপা আকুল হয়ে কাঁদতে থাকে।

রূপা হঠাৎ থরথর করে কাঁপতে থাকে, তার সারা শরীরে খিঁচুনি হতে থাকে, হাত-পায়ের আঙুলগুলো বাঁকা হয়ে আসে, মুখ থেকে ফেনা বের হয়ে আসে, সে বিছানায় লম্বা হয়ে পড়ে যায়। সারা শরীর মোচড় দিতে থাকে, দেখে মনে হয় কেউ যেন তার পলকা শরীরটাকে ধরে মুচড়ে দিচ্ছে। ভয়ংকর যন্ত্রণায় সে আর্তনাদ করতে থাকে। শাহেদ রূপার কাছে যেতে চাইল কিন্তু হঠাৎ করে বইয়ের তাক থেকে একটা ভারি বই ছুটে এসে তার মুখে আঘাত করল, এক মুহূর্তের জন্যে শাহেদ চোখে অন্ধকার দেখল। শাহেদ শক্ত হাতে কুড়ালটা ধরে চারিদিকে তাকালো, ঘরে কাউকে দেখতে পাচ্ছে না, কিন্তু স্পষ্ট বোঝা যায় কেউ একজন আছে। শাহেদ ফিসফিস করে বলল, "আমার মেয়েকে ছেড়ে দাও। ছেড়ে দাও আমার মেয়েকে।"

চাপা একটা হাসির শব্দ শুনতে পেলো শাহেদ এবং হঠাৎ করে টেবিল ল্যাম্পটা ছিটকে নিচে পড়ে মুহূর্তে ঘর অন্ধকার হয়ে যায়। কয়েক মুহূর্ত কিছু দেখতে পায় না শাহেদ, অন্ধকারে চোখ অভ্যস্ত হবার পর আবছা আবছাভাবে আবার সবকিছু দেখতে পেলো। বিছানায় শুয়ে থরথর করে কাঁপছে রূপা। দেয়ালে বড় আয়না— এবং ঘরের মাঝামাঝি জমাট বাঁধা অন্ধকারের মাঝে কেউ একজন দাঁড়িয়ে আছে।

শাহেদ আবার ফিসফিস করে বলল, "ছেড়ে দাও আমার মেয়েকে। আল্লাহ্‌র কসম লাগে—"

ঘরের ভেতরে হঠাৎ যেন বাতাসের একটা হলকা ছুটে গেলো, দীর্ঘশ্বাসের মতো শব্দ করে কেউ যেন টানা গলায় বলল, "না — না— না—"

ঘরের মাঝামাঝি জমাট বাঁধা অন্ধকারটি হঠাৎ করে নড়ে ওঠে। শাহেদ দেখতে পেলো সেটি রূপার দিকে এগিয়ে যাচ্ছে। রূপার সমস্ত শরীরটি থরথর করে কাঁপছে। আবছা অন্ধকারে দেখা যায় শরীরটি বিছানা থেকে খানিকটা উপরে উঠে এসেছে, মনে হয় বাতাসে ভাসছে।

শাহেদ আবার রূপার কাছে এগিয়ে যাবার চেষ্টা করল কিন্তু তার আগেই বইয়ের তাক থেকে বইগুলো তার দিকে ছুটে আসে, প্রচণ্ড আঘাতে তার মুখ কেটে যায়, সে ছিটকে নিচে গিয়ে পড়ল। কোনোমতে সে উঠে দাঁড়াল টলতে টলতে আবার সে সামনে এগিয়ে যাবার চেষ্টা করল কিন্তু একটা চেয়ার হঠাৎ সশব্দে প্রায় উড়ে এসে তাকে প্রচণ্ড আঘাত করে ফেলে দিল। ওঠার চেষ্টা করল শাহেদ কিন্তু উঠতে পারল না।

একটা ভয়ংকর হতাশা এসে হঠাৎ করে শাহেদকে গ্রাস করে। ভয় নয়, আতংক নয় একটি গভীর বেদনা— তার আদরের মেয়েটাকে কী তাহলে সে বাঁচাতে পারবে না? একটা বিদেহী দানব এসে তার মেয়েকে তার কাছ থেকে ছিনিয়ে নেবে?

শাহেদ আয়নার সামনে উবু হয়ে পড়ে আছে, কোনোমতে আয়নাটা ধরে ওঠার চেষ্টা করল! রূপা বলেছিল এই আয়নার সামনে দাঁড়িয়ে কোনো মৃত মানুষের নাম সাঁইত্রিশবার বললেই সে নাকি দেখা দেয়— তার কথা তখন সে বিশ্বাস করেনি। এখন কী সে বিশ্বাস করবে?

হঠাৎ করে তার মালার কথা মনে পড়ল। তার ভালোবাসার স্ত্রী, রূপার জন্মদাত্রী মা! মালা কী তার মেয়েকে বাঁচাতে পারবে না? মালাকে কী সে ডেকে আনতে পারে না? সাঁইত্রিশবার তার নাম উচ্চারণ করে?

শাহেদ দুই হাত বুকের উপর চেপে ধরে ফিসফিস করে ডাকলো, "মালা, মালা, মালা— তুমি এসো তোমার মেয়ের আজ খুব বিপদ। খুব বড় বিপদ—"

শাহেদ চোখ বন্ধ করে, মালাকে ডাকলো তারপর চোখ খুলে তাকালো। আবছা অন্ধকারে আয়নার মাঝে একজন মহিলার ছবি, কী আশ্চর্য! সত্যি মালা এসেছে?

শাহেদ ফিসফিস করে বলল, "মালা? তুমি এসেছ?"

"হ্যাঁ শাহেদ!"

"তোমার মেয়ের খুব বিপদ মালা। খুব বিপদ।"

"জানি। আমি জানি।"

"তুমি তাকে বাঁচাও মালা। দোহাই তোমার—"

"এই আয়নাটা তুমি ভেঙ্গে দাও।"

"ভেঙ্গে দেব?"

"হ্যাঁ। ভেঙ্গে টুকরো টুকরো করে দাও।"

"টুকরো টুকরো করে দেব?"

"হ্যাঁ। এই আয়নাই হচ্ছে তার শক্তি। ভাঙ্গো— দেরি করো না শাহেদ। তাড়াতাড়ি ভাঙ্গো।"

শাহেদ হাতড়ে হাতড়ে কুড়ালটা হাতে নিয়ে কোনোমতে উঠে দাঁড়াল, তারপর টলতে টলতে প্রচণ্ড আঘাতে ছাদ সমান উঁচু বেলজিয়াম গ্লাসের আয়নাটি ভেঙ্গে দিল। ঝনঝন শব্দ করে কাঁচ টুকরো টুকরো হয়ে নিচে পড়ল আর সাথে সাথে একটা অমানুষিক আর্তনাদ বাতাসের মাঝে পাক খেতে থাকে। আর্তনাদটি ধীরে ধীরে দীর্ঘশ্বাসের মতো হয়ে আসে, ঘরের মাঝে বার কয়েক প্রতিধ্বনিত হয়ে ধীরে ধীরে মিলিয়ে গেলো। ঘরের মাঝে সুনসান নীরবতা— কোথাও এতটুকু শব্দ নেই, এই ঘরে কোনো জীবিত প্রাণী আছে বলে মনে হয় না।

ঠিক তখন রূপা যন্ত্রণার মতো একটা শব্দ করল, শাহেদ সাথে সাথে সম্বিত ফিরে পায়, টেবিল ল্যাম্পটা তুলে জ্বালিয়ে দিয়ে সে রূপার কাছে ছুটে গেলো। রূপা বিছানায় উপুর হয়ে পড়ে আছে, শাহেদ সোজা করে নিজের কাছে টেনে আনে, মুখে হাত বুলিয়ে ডাকে, "রূপা, মা আমার!"

রূপা চোখ খুলে তাকালো, মাথা ঘুরিয়ে চারপাশ তাকিয়ে সে দুই হাতে শাহেদকে জড়িয়ে ধরে হঠাৎ আকুল হয়ে কেঁদে ফেলল। শাহেদ রূপার মাথায় হাত বুলিয়ে বলল, "আর কোনো ভয় নেই মা। কোনো ভয় নেই!"

রূপা কাঁদতে কাঁদে বলল, "তুমি কেন আমাকে একা ছেড়ে গিয়েছিলে?"

"আর যাব না মা, কখনো যাব না।"

রূপা চোখ মুছে বলল, "তোমার কপালে রক্ত।"

"ও কিছু না। একটু কেটে গেছে। তুই ঠিক আছিস তো?"

"হ্যাঁ আব্বু। আমি ঠিক আছি।"

"তোর কী এখনো ভয় করছে?"

"না আব্বু আর ভয় করছে না।" একটা নিশ্বাস ফেলে বলল, "শুধু খুব টায়ার্ড লাগছে।"

"ঠিক আছে তাহলে, তুই ঘুমিয়ে যা। আমার বুকে মাথা রেখে ঘুমিয়ে যা। আমি তোকে পাশের ঘরে নিয়ে যাই।"

"ঠিক আছে আব্বু।" বলে রূপা হঠাৎ গভীর ক্লান্তিতে চোখ বন্ধ করে ফেলল।

শাহেদ ফিসফিস করে বলল, "শুধু একবার চোখ খুলে তাকা।"

রূপা চোখ খুলে বলল, "কেন আব্বু?"

"এই ঘরে তোর আম্মু এসেছে।"

রূপার চোখ বড় বড় হয়ে গেলো, সোজা হয়ে বসে বলল, "তুমি কেমন করে জান?"

"আমি ডেকে এনেছিলাম!"

"সত্যি?"

"হ্যাঁ। কিছু বলবি না তোর আম্মুকে?"

"বলব আব্বু।" রূপা এদিক সেদিক তাকিয়ে কিছু বলার চেষ্টা করল, কিন্তু বলতে পারল না, সে ভেউ ভেউ করে কেঁদে ফেলল। কাঁদতে কাঁদতে বলল, "আম্মু, তুমি আমাদের ছেড়ে চলে গেলে কেন, কেন চলে গেলে?"

আম্মু কী বলেছে শাহেদ আর রূপা শুনতে পেলো না। কিন্তু তারা দুজনেই জানে আম্মু বলছে সে তাদের ছেড়ে যায় নি।

সে তাদের সাথেই আছে।

সব সময়েই থাকবে।

জালালের বাস ভ্রমণ

রেস্টুরেন্টে খাবারের বিল দিয়ে যখন জালাল বের হয়ে এলো তখন তার মুখ দিয়ে রীতিমতো আগুনের হলকা বের হচ্ছে। খাবার যা ঝাল ছিল সেটি আর বলার মতো নয়। বাস বা রেল স্টেশনের ধারে কাছে যে রেস্টুরেন্টগুলো থাকে সেখানে মনে হয় ইচ্ছে করেই এরকম করে, রেস্টুরেন্টের মালিক জানে যারা খেতে এসেছে তারা প্রায় সবাই দূরপাল্লার যাত্রী, আর কখনোই এখানে দ্বিতীয়বার খেতে ফিরে আসবে না, শুধু শুধু তাদের খুশি রাখার চেষ্টা করে লাভ কী?

জালাল রেস্টুরেন্ট থেকে বের হয়ে পাশের ছোট পান-সিগারেটের দোকানে গেলো। এক খিলি মিষ্টিপান আর একটা সিগারেট নিয়ে সে পাশে রাখা বেঞ্চটাতে বসে পড়ে। তার বাস ছাড়তে দেরি আছে, বসে বসে খানিকক্ষণ সময় কাটাতে পারবে।

রাতের বাসগুলো একটা একটা করে ছেড়ে দিচ্ছে, বাস স্টেশনে বেশ শোরগোল। রিক্সা স্কুটার করে প্যাসেঞ্জাররা আসা মাত্রই দালালেরা তাদের উপর ঝাপিয়ে পড়ছে। সাদাসিধে টাইপের প্যাসেঞ্জার হলে তো কথাই নেই, তাদের ধরে রীতিমতো টানাটানি শুরু হয়ে যায়। বাসের শরীরে থাবা দিয়ে হেল্পাররা চিৎকার করছে, বাসের হর্ন, প্যাসেঞ্জারদের চেঁচামেচি, ফেরিওয়ালারা তাদের জিনিস বিক্রি করার চেষ্টা করছে সব মিলিয়ে এই রাতেও এখানে রীতিমতো হইচই। জালাল সিগারেট টানতে টানতে মানুষজনের হৈ-হল্লা দেখতে থাকে। তার বাস ছাড়বে রাত এগারোটায়, বাড়ি পৌঁছাবে কাল ভোরে। বহুদিন বাড়ি যাওয়া হয় নি, ভেতরে ভেতরে সে একধরনের তাড়া অনুভব করে।

বেঞ্চে তারপাশে একজন বুড়ো লোক এসে বসলো, মাথায় লম্বা সাদা চুল, মুখে সাদা দাড়ি। বেঞ্চে পা তুলে বসে মানুষটা একটা বিড়ি ধরিয়ে জালালের দিকে তাকিয়ে বলল, "নিশানা ভালো না।"

"কীসের নিশানা ভালো না?"

"নাইট কোচের।"

জালাল একটু ভালো করে মানুষটার দিকে তাকালো, চেহারায় একটু পাগল-পাগল ভাব, মুখে বয়সের চিহ্ন, পরনে ময়লা একটা খাকি সার্ট সেখানে রংবেরংয়ের কয়েকটা তালি। পা তুলে যেভাবে বসেছে মানুষ সাধারণত সেভাবে বসে না। জালাল জিজ্ঞেস করল, "নাইট কোচের কোন নিশানা খারাপ?"

"আজ এসকিডেন্ট হবে।"

শব্দটা এক্সিডেন্ট কিন্তু আধপাগল ধরনের মানুষটির কথার জন্যে এই শুদ্ধ উচ্চারণটা তত গুরুত্বপূর্ণ নয়। মানুষটার কথা শুনে জালালের বুকের ভেতর কেমন জানি ছাঁৎ করে ওঠে, এরকম একটা অপয়া কথা কেন বলছে? জালাল ভুরু কুঁচকে বলল, "আপনি কেমন করে জানেন এক্সিডেন্ট হবে?"

"মরণ্যা আসছে দেখেন না?"

"মরণ্যা?"

"হ্যাঁ।"

"সেইটা কে?"

বুড়ো মানুষটা বিড়িতে টান দিয়ে বলল, "যে রাতে এসকিডেন্ট হয় সেই রাতে আসে। ঘুরে ঘুরে দেখে, কোন বাস এসকিডেন্ট করবে সেটা ঠিকঠাক করে।"

জালাল অবাক হয়ে বলল, "কোন বাস এক্সিডেন্ট হবে সেটা আগে থেকে ঠিক করে?"

"মরণ্যার আর কাম কী? এসকিডেন্ট করে মানুষ মারা হচ্ছে মরণ্যার কাম।" খুব একটা মজার কথা বলেছে সেরকম ভান করে বুড়োটা খিকখিক করে হাসল।

জালাল মানুষটার দিকে তাকিয়ে বলল, "আজকে মরণ্যা এসেছে?"

"হ্যাঁ।"

"কোথায়?"

বুড়ো মানুষটা হাত তুলে বাস স্টেশনের অসংখ্য মানুষের ভিড়ের দিকে দেখিয়ে বলল, "ঐখানে।"

"আপনি দেখতে পাচ্ছেন?"

বুড়োটা চোখ কুঁচকে ভিড়ের দিকে কিছুক্ষণ তাকিয়ে থেকে বলল, "নাহ্। এখন দেখা যাচ্ছে না। একটু আগে দেখেছিলাম।"

"দেখতে কী রকম?"

ছোট বাচ্চারা না বুঝে কোনো কথা বললে বড় মানুষেরা যেভাবে তাদের দিকে তাকায় বুড়োটা সেভাবে তার দিকে তাকালো। বলল, "মরণ্যার চেহারা যে দেখে সে সেইটা বর্ণনা করার জন্যে আর ফেরৎ আসে না। শুনছি তার চক্ষু দুইটা কয়লার আগুনের মতোন। যার দিকে সেই চক্ষু দিয়া থাকায় সে ফিনিশ।"

আধপাগল মানুষ, কী বলতে কী বলছে তার কথার গুরুত্ব দেয়া ঠিক নয় তবু জালালের ভেতরে একটা অস্বস্তি এসে ভর করে। সে মানুষটাকে জিজ্ঞেস করল, "তাহলে মরণ্যাকে চিনেন কেমন করে?"

"পোশাক দিয়া চেনা যায়। কালো কাপড় পরে, পা থেকে মাথা পর্যন্ত। অনেক সময় মাথায় একটা লাল কাপড় বান্ধে। সাথে একটা ঝোলা থাকে। কাপড়ের ঝোলা। দেখলেই বোঝা যায়। কাছে গেলে আপনে একটা গোন্ধ পাইবেন।"

"গন্ধ?"

"জে।"

"কীরকম গন্ধ।"

"কর্পূরের গোন্ধের মতোন কিন্তু তার সাথে পচা মাংশের একটা গোন্ধ থাকে। কশাইয়ের দোকানে যে রকম গোন্ধ হয় সেরকম গোন্ধ।"

জালাল এক ধরনের বিস্ময় নিয়ে বুড়ো মানুষটার দিকে তাকিয়ে রইল। মানুষটা সেটা লক্ষ্য করল বলে মনে হলো না, অনেকটা নিজের মনে কথা বলে যেতে লাগল, "যদি তারপরেও মরণ্যারে নিয়া আপনার সন্দেহ থাকে তারে ছুঁলেই সন্দেহ দূর হয়ে যাবে।"

"কেন?"

"মরণ্যার শরীল বরফের মতো ঠাণ্ডা।"

"ঠাণ্ডা?"

"জে।"

"কেন?"

"ধরেন জীবিত মানুষের শরীরে ওম থাকে। মরণ্যা তো আর জীবিত না। তার শরীরে কুনো ওম নাই।"

জালাল ভুরু কুঁচকে বলল, "মরণ্যা তাহলে কী?"

"রাত্রেবেলা তার নাম নেওয়া ঠিক না।"

বুড়ো মানুষটা হঠাৎ করে সোজা হয়ে বসে উত্তেজিতভাবে হাত তুলে দেখালো, "ঐ যে ঐ যে— ঐ দেখেন মরণ্যা!"

"কোথায়?"

"গেইট লকের পিছনে— ঐ দেখেন চাকায় হাত দিচ্ছে— খাইছে রে খাইছে! ইয়া মাবুদ। আইজকে খবর আছে!"

জালাল বাসগুলোর দিকে তাকিয়ে দেখার চেষ্টা করলো। কিন্তু অস্বাভাবিক কিছু দেখতে পেলো না। জিজ্ঞেস করলো, "কোনজন মরণ্যা?"

"ঐ যে এখন হাঁটতাছে। বাসের পিছনে গেলো—"

অনেক মানুষই হাঁটছে, বাসের সামনে পিছে যাচ্ছে, কোন বাসের কাছে কোন মানুষটা বোঝার কোনো উপায় নেই। জালাল উঠে দাঁড়াল, এই মানুষের পাশে বসে বসে এই ধরনের মন খারাপ করা ভয়ংকর উদ্ভট কথা শোনার কোনো প্রয়োজন নেই।

বাস ছাড়তে ছাড়তে কুড়ি মিনিটের মতো দেরি হলো। জালাল অবশ্যি সেটা নিয়ে বেশি মাথা ঘামালো না, রাতের বাস এত ভোরে পৌঁছে যায় যে এক আধ ঘণ্টা দেরি হলে কিছু আসে যায় না। আজকাল বাসগুলোও বেশ ভালো, উঁচু সিট, পা ছড়িয়ে দেয়ারও জায়গা আছে। জালাল বাসের সামনের দিকে জানালার কাছে বসার জায়গা পেয়েছে। তার পাশে একজন মোটাসোটা মানুষ বসেছে, ঘুমকাতুরে মানুষ বসার কিছুক্ষণের মাঝেই নাক ডেকে ঘুমাতে শুরু করেছে। বাসের সিটে ঘুমটা হয় ছাড়া ছাড়া, তাই নাক ডাকাটা কখনোই বিরক্তিকর পর্যায়ে যেতে পারছে না, একটু পরে পরে থেমে আবার নূতন করে। জানালা দিয়ে জালাল বাইরে তাকিয়ে রইল, এখন শহরের ভেতর দিয়ে যাচ্ছে, দুই পাশে দোকানপাট, মানুষের ভিড়। কিছুক্ষণের মাঝেই শহরের বাইরে চলে আসবে, শুক্লপক্ষের রাত জ্যোৎস্নায় বেশ দেখাবে তখন।

জালাল বাইরে তাকিয়ে রইল, এবারে বেশ অনেকদিন পর বাড়ি যাচ্ছে, ছেলেটাকে অনেকদিন দেখে না। ওষুধের কোম্পানীর চাকরি, বলতে গেলে সারা বছরই ঘুরে বেড়াতে হয়। যে বেতন পায় সেটা দিয়ে শহরে বাসা ভাড়া করে বউ-বাচ্চাকে নিয়ে থাকা সম্ভব না, তাদেরকে বাড়ী রাখতে হয়। কিন্তু আলাদা আলাদা থাকাটা খুব কষ্ট— বেতনটা আর একটু বাড়লেই সে সবাইকে

শহরে নিয়ে আসবে। জালাল বাইরে তাকিয়ে থাকতে থাকতে এক সময় ঘুমিয়ে পড়ল।

বিচিত্র একটা গন্ধে জালালের হঠাৎ ঘুম ভেঙ্গে যায়। এখন গভীর রাত, বাসের সব প্যাসেঞ্জার নিজের সিটে মাথা রেখে ঘুমিয়ে আছে। জালাল এই বিচিত্র গন্ধটার কারণ বোঝার চেষ্টা করল— মাঝে মাঝে বাস একটা নির্দিষ্ট জায়গার ভেতর দিয়ে যায় তখন সেই জায়গার গন্ধ বাসের ভেতরে ঢুকে পড়ে। কিন্তু এখন সেরকম কিছু নেই, রাস্তার দুইপাশে বিস্তৃত ধান ক্ষেত, বিচিত্র কোনো গন্ধ এখানে আসার কোনো উপায় নেই।

পাশে বসে থাকা মানুষটা একটু নড়েচড়ে বসতেই হঠাৎ গন্ধটা তীব্র হয়ে উঠল, পচা মাংশের মতো বোটকা এক ধরনের গন্ধ— সাথে ঝাঁঝালো অন্য এক রকম গন্ধ। মনে হলো খুব কাছে থেকে গন্ধটা আসছে। জালাল পাশে তাকাল, তার পাশে বসা ঘুম কাতুরে প্যাসেঞ্জারটি নেই সেখানে অন্য একজন বসে আছে, কালো আলখাল্লা পরা। কালো চাদর দিয়ে পুরো শরীর ঢেকে রেখেছে। চাদর দিয়ে ঢাকা বলে মানুষটির মুখ দেখা যাচ্ছে না। অন্য মানুষের মতো মানুষটি সিটে মাথা রেখে ঘুমাচ্ছে না, শিরদাঁড়া সোজা করে বসে আছে। মানুষটা আবার একটু নড়ে উঠতেই জালালের নাকে গন্ধটা ভক করে এসে লাগে, তার সারা শরীর হঠাৎ গুলিয়ে ওঠে, মনে হয় দুর্গন্ধে বমি হয়ে যাবে।

জালাল জানালা দিয়ে মাথাটা বাইরে বের করে দিয়ে পরিষ্কার বাতাসে নিশ্বাস নেয়ার চেষ্টা করল। তখন হঠাৎ টের পেলো তার পাশে বসে থাকা মানুষটা উঠে দাড়িয়েছে। বাসের সবাই ঘুমুচ্ছে তার মাঝে সে হেঁটে হেঁটে সামনে যেতে থাকে। বাসের ঝাঁকুনির কারণে উপরের রড না ধরে কেউ কখনো চলন্ত বাসে হাঁটতে পারে না কিন্তু এই মানুষটি অবলীলায় সামনে হেঁটে গেল। একেবারে সামনে গিয়ে সে বাস ড্রাইভারের পাশে দাঁড়িয়েছে, কী অদ্ভুত দেখাচ্ছে দৃশ্যটি।

হঠাৎ করে জালাল ইলেকট্রিক শক খাওয়ার মতো চমকে উঠল, এই মানুষটি নিশ্চয়ই মরণ্যা! পান-সিগারেটের দোকানে বুড়ো মানুষটা যে বর্ণনা দিয়েছিল হুবহু তার সাথে মিলে যাচ্ছে, কালো কাপড় পরা, মাথায় একটা লাল ফেটি। যেটাকে চাদর ভেবেছিল সেটা একটা ঝোলা, তার মুখ দেখা যাচ্ছে না, কিন্তু নিশ্চয়ই সেই মুখটি ভয়ংকর, চোখ দুটো জ্বলন্ত অঙ্গারের মতো টকটকে লাল। শরীর থেকে যে দুর্গন্ধের কথা বলেছিল সেটাও সে পেয়েছে। তার পাশেই তো বসেছিল।

বাস ড্রাইভার স্টিয়ারিং হুইল ধরে সামনে তাকিয়ে আছে, তার পাশেই মরণ্যা চুপচাপ দাঁড়িয়ে আছে, তার কোনো তাড়া নেই। ড্রাইভার হঠাৎ করে পাশে তাকালো, মরণ্যাকে দেখেই সে ভয়ানক চমকে ওঠে, স্টিয়ারিং হুইল হঠাৎ নড়ে যায়, পুরো বাসটা সাথে সাথে একবার ঝাঁকুনি দিয়ে রাস্তায় নড়ে গেলো, প্যাসেঞ্জারদের কেউ কেউ চমকে জেগে উঠে আবার সীটে মাথা রেখে ঘুমিয়ে গেলো।

জালাল দেখতে পায় বাস ড্রাইভারটা মরণ্যাকে কিছু একটা বলছে কিন্তু মরণ্যা সেটা না শুনে বাসের ভেতর দিকে হেঁটে আসছে। একজন প্যাসেঞ্জারের সামনে দাঁড়ায় কিছুক্ষণ তাকে খুব ভালো করে লক্ষ্য করে তারপর আস্তে করে মানুষটাকে হাত দিয়ে স্পর্শ করে। মানুষটা জেগে ওঠার পর মরণ্যা তার দিকে তাকায়, তারপর পাশের প্যাসেঞ্জারকে জাগিয়ে তোলে। এভাবে সে আস্তে আস্তে এগিয়ে আসছে। কাউকে কাউকে জাগিয়ে তুলে চোখের দিকে তাকাচ্ছে, কাউকে কাউকে ডেকে তুলছে না। এভাবে বাসের প্যাসেঞ্জারদের জাগিয়ে তুলতে তুলতে সে পিছনে এগিয়ে আসছে।

জালাল একটি ভয়াবহ আতংক অনুভব করে— পান-সিগারেটের দোকানে বুড়ো মানুষটি বলেছিল মরণ্যা যার চোখের দিকে তাকাবে এক্সিডেন্টে তারা মারা যাবে। মরণ্যা এর মাঝে অনেকের চোখের দিকে তাকিয়ে এসেছে— তারা সবাই কী মারা যাবে? জালাল কী করবে বুঝতে পারছে না— মরণ্যা কী তার চোখের দিকেও তাকাবে? সেও কী এক্সিডেন্টে মারা যাবে?

জালাল চোখ বন্ধ করে ফেলল, বোটকা পচা গন্ধটা তার খুব কাছে চলে এসেছে, যার অর্থ মরণ্যা তার খুব কাছে এসে দাঁড়িয়েছে, জালাল তার কাপড়ের খসখস শব্দ শুনতে পেলো। এখন নিশ্চয়ই তার মুখের দিকে তাকিয়ে বোঝার চেষ্টা করছে আজ রাতে এক্সিডেন্টে তার মৃত্যু হবে কি না। জালালের মনে হয় অনন্তকাল থেকে মরণ্যা তার সামনে দাঁড়িয়ে আছে।

জালাল হঠাৎ চমকে উঠল, একটা হিম শিতল হাত দিয়ে তাকে মরণ্যা স্পর্শ করছে। তাকে তোলার চেষ্টা করছে— সে চোখ খুলে তাকাতেই তার চোখে চোখে তাকাবে, জালাল দেখতে পাবে কুৎসিত অন্ধকার একটি মুখ তার ভেতরে দুটি চোখ জ্বলন্ত অঙ্গরের মতো জ্বলজ্বল করছে। সেই চোখ স্থির দৃষ্টিতে তার দিকে তাকাবে এবং একটা ভয়ংকর এক্সিডেন্টে সে মরে যাবে!

জালাল নিশ্বাস আটকে রাখল, না, সে মরতে চায় না। কতো দিন সে তার ছোট ছেলেটাকে দেখে না, নিউ মার্কেট থেকে সে তার জন্যে লাল

রংয়ের একটা খেলনা গাড়ি কিনেছে, সুইচ টিপে দিলেই গাড়িটা ছুটে যেতে থাকে, কোথাও ধাক্কা লাগলেই গাড়িটা ঘুরে অন্যদিকে যেতে শুরু করে— ছেলেটা সেই গাড়িটা পেয়ে কী খুশিই না হবে! তার বউয়ের জন্যে একটা শাড়ি কিনেছে, নীল জমিনের উপর সাদা নক্সা কাটা। তার স্ত্রীর গায়ের রঙের সাথে যা চমৎকার মানাবে শাড়িটা সেটি বলার মতো নয়। তার ছেলের মুখের সেই হাসি আর তার স্ত্রীর সেই চোখের দৃষ্টি না দেখে সে মারা যাবে না, কিছুতেই মারা যাবে না।

মরণ্যা তাকে ধরে আরেকটু জোরে ধাক্কা দিলো। জালাল তবুও চোখ খুলে তাকালো না। মরণ্যা এবারে তার কাঁধটাকে শক্ত করে ধরে, হিম শীতল হাত লোহার মতো শক্ত, জোরে জোরে ঝাঁকুনি দিচ্ছে কিন্তু জালাল চোখ খুলে তাকাল না। জালাল বুঝতে পারে মরণ্যা তার উপর ঝুঁকে পড়ছে, দুই হাত দিয়ে তাকে শক্ত করে ধরেছে, পচা দুর্গন্ধে তার নাড়ি উল্টে আসছে কিন্তু জালাল তবু চোখ খুলে তাকাল না।

মরণ্যা ফিসফিস করে ডাকছে, বলছে, "চোখ খোলো। চোখ খুলে দেখো—"

জালাল তবুও চোখ খুললো না।

"তোমাকে চোখ খুলতেই হবে, চোখ খোলো—"

জালাল চোখ খুললো না। মরণ্যা তাকে দুই হাত দিয়ে খামচে ধরে ঝাঁকাতে শুরু করে কিন্তু তবু জালাল চোখ খুললো না।

বাসের অনেক মানুষ তখন জেগে উঠেছে— তারা অবাক হয়ে দেখছে কালো কাপড়ে ঢাকা একটি ছায়ামূর্তি একজন মানুষকে দুই হাতে আঁকড়ে ধরে ঝাঁকাচ্ছে। ড্রাইভার রিয়ারভিউ মিররে পিছনে তাকিয়ে দেখার চেষ্টা করছে কিন্তু দেখতে পাচ্ছে না। সামনে থেকে একটা ট্রাক আসছে, হাই বীম দিয়েছে নির্বোধ ড্রাইভার, চোখ কুঁচকে তাকানোর চেষ্টা করল বাস ড্রাইভার, হঠাৎ কী যেন লাফিয়ে রাস্তার মাঝে এসে পড়েছে, মুহূর্তের জন্যে স্টিয়ারিং হুইল ঘুরিয়েছে, ভয়ংকর শব্দ হলো হঠাৎ— মানুষের আর্ত চিৎকার— ভয়ংকর আর্ত চিৎকার—

*　　*　　*　　*

কতোদিন হয়েছে কে জানে? জালাল একটা অন্ধকার জগতে আছে। আলোহীন— বাতাসহীন একটা বদ্ধ জগৎ, মাঝে মাঝে অনেকদূর থেকে সে

কোন কোনো মানুষের কথা শুনতে পায়, কার কথা সে বুঝতে পারে না, তারা কী বলছে সেটাও সে বুঝতে পারে না। মাঝে মাঝে মনে হয় তাকে নিয়ে কথা বলছে, কী বলছে কেন বলছে সেটাও সে বুঝতে পারে না। মাঝে মাঝে সে বোঝার চেষ্টা করে কী হচ্ছে, কিন্তু বুঝতে পারে না। আবার সে গভীর অন্ধকারে ডুবে যায়। আলোহীন, অন্ধকার বদ্ধ একটা জগৎ— যার কোনো শুরু নেই, কোনো শেষ নেই।

হঠাৎ একদিন সে একটা বাচ্চার গলার স্বর শুনতে পায়। বাচ্চাটি ডাকছে, "আব্বু— ও আব্বু—" খুব চেনা এই গলার স্বরটি, তাকে আব্বু বলে ডাকছে। জালালের হঠাৎ মনে হতে থাকে এর কথার উত্তর দেয়া খুব দরকার। সে যদি উত্তর না দেয় এই কণ্ঠস্বরটি চিরদিনের জন্যে হারিয়ে যাবে। জালাল ছটফট করে ওঠে, সে জোর করে চোখ খুলে তাকায়। অবাক হয়ে দেখে তার ওপর ঝুঁকে আছে তার ছেলে। কে একজন নারী কণ্ঠে চিৎকার করে উঠল, "চোখ খুলেছে! চোখ খুলেছে!"

জালাল ফিসফিস করে জিজ্ঞেস করল, "আমি কোথায়? কী হয়েছে আমার?"

নারী কণ্ঠ বলল, "তুমি হাসপাতালে। বাস এক্সিডেন্ট হয়েছিল, অনেক মানুষ মারা গেছে। সবাই ভেবেছিলো তুমিও বাঁচবে না।

"আমি বেঁচে গেছি?"

"হ্যাঁ। তুমি বেঁচে গেছ।"

জালালের হঠাৎ একটা মানুষের কথা মনে পড়ে, কালো কাপড়ে ঢাকা মানুষ, হিম শীতল দেহ, শরীর থেকে পচা মাংশের গন্ধ বের হয়— যার চোখ দুটো জ্বলন্ত অঙ্গারের মতো জ্বলে— সেই মানুষটার কী হয়েছে?

জালাল জোর করে মানুষটার কথা তার মাথা থেকে সরিয়ে দেয়, সে আর কোনো দিন তার কথা ভাবতে চায় না। কোনো দিন না।

ভীতু নিরঞ্জন

নিরঞ্জন পাল কখনোই খুব সাহসী মানুষ ছিল না কিন্তু গত এক সপ্তাহ থেকে সে বাড়াবাড়ি ভীতু হয়ে গেছে। দিনের বেলা সে ঘর থেকে বের হয় না, জবুথবু হয়ে বিছানায় বসে থাকে। অন্ধকার হয়ে গেলে সে মাঝে মাঝে ঘর থেকে বের হয় কিন্তু বেশি দূরে যেতে সাহস পায় না, ঘরের আশেপাশে হাঁটাহাঁটি করে। তার বাড়িটি গ্রামের এক কোনায়, এমনিতেই খানিকটা নির্জন, মানুষজন বলতে গেলে আসে না। হঠাৎ করে কেউ চলে এলে তাদের গলার আওয়াজ শুনেই ভয়ে ছুটে এসে সে ঘরের ভেতর ঢুকে যায়, তারা চলে না যাওয়া পর্যন্ত সে নিশ্বাস বন্ধ করে দরজার কাছে দাঁড়িয়ে থাকে।

ব্যাপারটা ঘটেছে বলতে গেলে হঠাৎ করেই। বুধবার রাত্রিবেলা খাওয়াদাওয়া শেষ করে থালাবাসন ধুয়ে সে মাত্র বিছানায় শুয়েছে, এরকম সময় কে যেন দরজায় ধাক্কা দিয়ে বলল, "নিরঞ্জন, ঘুমালি নাকি?"

নিরঞ্জন দরজা খুলে দেখে ঘরের দরজায় কাশেম আলী দাঁড়িয়ে আছে। মানুষটার মোষের মতো চেহারা এমনিতে দেখলেই কেমন জানি ভয় করে, রাত্রিবেলা ঘরের সামনে তাকে দাঁড়িয়ে থাকতে দেখে নিরঞ্জনের কেমন জানি আত্মা শুকিয়ে গেল। ভয়ে ভয়ে বলল "কাশেম ভাই! আপনি?"

কাশেম আলী নাক দিয়ে এক ধরনের শব্দ করল, "হুঁ।"

"এতো রাত্রে। কী ব্যাপার কাশেম ভাই?"

কাশেম আলী সময় নিয়ে একটা বিড়ি ধরিয়ে নিরঞ্জনের মুখের ওপর ধোঁয়া ছেড়ে বলল, "দিনের বেলা এত ব্যস্ত থাকি সময় পাওয়া যায় নাকি!"

নিরঞ্জন জোর করে মুখে হাসি টেনে বলল, "সেটা তো ঠিকই বলেছেন, আপনার মতো ব্যস্ত আর কে আছে এই গ্রামে?"

কাশেম আলী কথা না বলে বিড়িতে লম্বা একটা টান দিল, বিড়ির লাল আগুনে তার মুখটাকে কেমন জানি ভয়ংকর দেখায়, নিরঞ্জনের বুকটা অজানা এক ধরনের আশংকায় কেঁপে ওঠে। ভয়টাকে লুকিয়ে রেখে সে ঢোক গিলে বলল, "ভেতরে আসেন কাশেম ভাই, বসেন।"

"নাহ্! বসব না।" কাশেম আলী একটু কেশে উঠোনে সশব্দে থুথু ফেলে বলল, "তোর কাছে একটা কাজে এসেছি রে নিরঞ্জন।"

"কী কাজ কাশেম ভাই?"

"আমি ভাবছিলাম তুই নিজেই বলবি— তুই যখন নিজে থেকে কিছু বলছিস না, আমারই তো বলতে হয়।"

নিরঞ্জন অবাক হয়ে বলল, "কী বলব কাশেম ভাই?"

"তোর এই জায়গা জমি তো তোর বাবা আমারে লিখে দিয়ে গেছে।"

নিরঞ্জন হতবাক হয়ে কাশেম আলীর দিকে তাকিয়ে রইল, কয়েকবার চেষ্টা করে বলল, "এটা আপনি কী বলছেন?"

কাশেম আলী বিড়িতে টান দিয়ে বলল, "কেন? ভুল কিছু বলেছি? তোর বাবা তোকে কিছু বলে যায় নাই?"

"না কাশেম ভাই! বাবা এরকম কথা কেন বলবে?"

কাশেম আলী খুব বিরক্ত হবার ভান করে দাঁতের ফাঁক দিয়ে পিচিক করে থুথু ফেলে বলল, "এই জন্যে মালাউনের জাতকে বিশ্বাস করতে হয় না। ইন্ডিয়া যাবার আগে আমার কাছে গিয়ে বলল, বাবা কাশেম আমি তো স্ত্রী-পুত্র নিয়ে ইন্ডিয়া যাব, কিছু ক্যাশ টাকা প্রয়োজন।"

"তাই বললেন বাবা?"

"হ্যাঁ। আমি বললাম কাকা আমার তো টাকার ফ্যাক্টরি নাই যে টাকা ছাপাব আর দিব। আপনার জমি জিরাত আছে বেচেন। হুন্ডি করে টাকা নিয়ে যান।"

নিরঞ্জন এক ধরনের আতংক নিয়ে কাশেম আলীর দিকে তাকিয়ে রইল, হঠাৎ করে মনে হতে থাকে তার হাঁটুতে কোনো জোর নেই। কাশেম আলী বিড়িতে একটা টান দিয়ে বলল, "তখন তোর বাবা আমার সাথে জমি রেজিস্ট্রি করল। যাবার আগে আমার হাত ধরে বলল, বাবা আমার বোকা ছেলেটাকে তোমার কাছে রেখে গেলাম। তুমি দেখেশুনে রেখো—"

নিরঞ্জন কিছু একটা বলার চেষ্টা করল কিন্তু কাশেম আলী সুযোগ দিল না, বগলের তলায় চুলকাতে চুলকাতে বলল, "তোর বাপরে আমি কথা দিয়েছিলাম তাই তোরে কয়দিন থাকতে দিয়েছি। এখন তো আর পারি না। সামনে চেয়ারম্যান ইলেকশন, কিছু ক্যাশ টাকার দরকার।"

নিরঞ্জন শুকনো গলায় বলল, "ক্যাশ টাকা?"

"হ্যাঁ। ভাবছি জমিটা বেচব। তোর তো এখন উঠে যেতে হয় নিরঞ্জন।"

"উঠে যাব? আমি?" নিরঞ্জন নিজের কানকে বিশ্বাস করতে পারে না।

"হ্যাঁ।" কাশেম আলী নিরঞ্জনের মুখের দিকে তাকিয়ে পান খাওয়া দাঁত বের করে হাসল, সেই হাসি দেখে নিরঞ্জনের বুকের ভেতরে কাঁপুনি শুরু হয়ে যায়।

নিরঞ্জনের মাথা ঘুরতে থাকে, ঘরের দরজা ধরে কোনোমতে সোজা হয়ে দাঁড়িয়ে থেকে বলল, "আপনি নিশ্চয়ই কিছু একটা ভুল করছেন কাশেম ভাই। বাবা এই বসতবাটি বেচে নাই। আমার কাছে দলিল আছে।"

কাশেম আলী হঠাৎ হুংকার দিয়ে বলল, "কী বললি হারামজাদা? তোর কাছে দলিল আছে?"

"আছে কাশেম ভাই।"

"তুই বলতে চাস আমি মিছা কথা বলছি?"

নিরঞ্জন আমতা আমতা করে বলল, "তা বলছি না কাশেম ভাই— আপনি রাগ হবেন না। মনে হয় কিছু একটা ভুল হয়েছে।"

"ভুল?" কাশেম আলী নিরঞ্জনের ঘাড়ে একটা ধাক্কা দিয়ে বলল, "তোর বাপ আমার কাছ থেকে টাকা নেওয়ার সময় তো কোনো ভুল করল না!"

নিরঞ্জন কী বলবে বুঝতে পারল না, চোখ বড় বড় করে কাশেম আলীর মুখের দিকে তাকিয়ে রইল। কাশেম আলী রাগে ফোঁস ফোঁস করে বলল "বিরইপুরের পীর সাহেব ঠিকই বলেন।"

নিরঞ্জন দুর্বল গলায় বলল, "কী বলেন পীর সাহেব?"

"বলেন সব মালাউনকে জবাই করে ফেলা দরকার। হারামজাদার বাচ্চা।"

নিরঞ্জন শুকনো গলায় বলল, "আমার উপর রাগ হন কেন কাশেম ভাই? আমি কী বলেছি?"

কাশেম আলী হুংকার দিয়ে বলল, "কিছু বলিস নাই তুই?"

নিরঞ্জন মাথা নাড়ল, বলল, "বলি নাই।"

"বলিস নাই আমি মিছা কথা বলছি? বলিস নাই আমি মিথ্যুক?"

"না তা বলি নাই। আমি বলেছি—"

নিরঞ্জনের মুখের কথাটা লুফে নিয়ে কাশেম আলী বলল, "আমি যদি সত্যি কথা বলে থাকি তাহলে বের হ।"

"বের হব?"

"হ্যাঁ। বাড়ি ছেড়ে দে।"

নিরঞ্জন অবিশ্বাসের গলায় বলল, "বাড়ি ছেড়ে দেব?"

"হ্যাঁ। তোদের জাতকে বিশ্বাস নাই। তোরা থাকিস এই দেশে আর তোরা ইন্ডিয়াকে মনে করিস নিজের দেশ—"

"কী বলছেন আপনি কাশেম ভাই? রায়টের সময় ছোট বোনটারে ধরে নিয়ে গেল, তাই ভয় পেয়ে বাবা কাকা ইন্ডিয়া গেছে। আমাকে যেতে বলেছে আমি যাই নাই। এইটা আমার দেশ কাশেম ভাই। এই দেশ ছেড়ে আমি যাই নাই। আমি কখনো যাব না।"

"তোর বাপে গেছে তুইও যাবি ব্যাটা মালাউন।"

নিরঞ্জনের চোখে পানি এসে গেলো, ভাঙ্গা গলায় বলল, "না, কাশেম ভাই।"

কাশেম আলী হুংকার দিয়ে বলল, "হ্যাঁ।" তারপর হঠাৎ করে নিরঞ্জনের চুলের মুঠি ধরে তাকে হ্যাঁচকা টান দিয়ে বের করে এনে ধাক্কা দিয়ে উঠোনে ফেলে দিয়ে চিৎকার করে বলল, "আর ইন্ডিয়া যখন চলেই যাবি, এখনি যা।"

নিরঞ্জন হতবাক হয়ে কাশেম আলীর দিকে তাকিয়ে রইল, সে এখনও বিশ্বাস করতে পারছে না যে এরকম একটা ব্যাপার ঘটছে। তার অপমানিত বোধ করার কথা ছিল কিন্তু সে অপমানিত বোধ করছে না, হঠাৎ করে তার নিজের ভিতরে অন্য রকম একটা অনুভূতি এসে ভর করতে শুরু করেছে, সেই অনুভূতিটি হচ্ছে ভয়। ভয়ংকর ভয়। সে বিস্ফারিত চোখে দেখল কাশেম আলী তার দিকে এগিয়ে আসছে, কাছে এসে প্রচণ্ড শক্তিতে পাঁজরে একটা লাথি দিতেই নিরঞ্জনের নিশ্বাস বন্ধ হয়ে আসে। মাটি খামচে ধরে সে কোনোভাবে উঠে দাঁড়ানোর চেষ্টা করল কিন্তু পারল না, তার আগেই কাশেম আলী তার মুখে আবার লাথি মেরে নিচে ফেলে দিয়েছে। নাক দিয়ে গলগল করে রক্ত বের হয়ে আসে নিরঞ্জনের, মুখে রক্তের নোনা স্বাদ পেলো, মনে হয় একটা দাঁত ভেঙ্গে গেছে। নিরঞ্জনের ভেতরে যন্ত্রণার কোনো অনুভূতি নেই, শুধু এক ধরনের জান্তব ভয়— অমানুষিক ভয়।

নিরঞ্জন ঘরের বারান্দা ধরে উঠে দাঁড়ানোর চেষ্টা করল তার আগেই কাশেম আলী তার চুল ধরে তাকে টেনে দাঁড়া করিয়েছে। খোলা চোখে সে দেখতে পেলো কাশেম আলী তার মুখের কাছে মুখ এনে হিংস্র গলায় বলছে, "বল মালাউনের বাচ্চা— যাবি ইন্ডিয়ায়?"

নিরঞ্জন মাথা নাড়ল, বলল, "না।"

সাথে সাথে প্রচণ্ড ঘুষিতে তাকে নিচে ফেলে দিল কাশেম আলী, তারপর টেনে তুলে বলল, "ইন্ডিয়া যাবি না তুই? ঠিক আছে হারামজাদা— তোর ইন্ডিয়া যেতে হবে না। তোর যেখানে যাওয়া দরকার সেখানেই আমি পাঠাব।"

নিরঞ্জন হঠাৎ করে দেখতে পেলো কাশেম আলীর হাতে চকচকে ধারালো একটা চাকু আবছা অন্ধকারে চিক চিক করছে। হঠাৎ করে বুঝে গেলো সে কাশেম আলী তাকে খুন করতে এসেছে। বেঁচে থাকার একেবারে আদিম প্রবৃত্তিতে সে কোনোমতে উঠে দাঁড়াল তারপর দৌড়ে পালানোর চেষ্টা করল। বেশি দূর যেতে পারল না তার আগেই পিছন থেকে তাকে খপ করে ধরে ফেলেছে কাশেম আলী। পিঠে যন্ত্রণার একটা তীক্ষ্ণ খোঁচা অনুভব করল সে, বাঁকা হয়ে উল্টে পড়ে যাচ্ছিল, কিন্তু কাশেম আলী তাকে টেনে হেঁছড়ে কুয়ার কাছে নিয়ে এসেছে, কুয়ার মুখে তার মাথাটা ঠেলে ধরে বলল, "ইন্ডিয়া যাবি না তুই? তাহলে যা, জাহান্নামে যা!"

নিরঞ্জন আর্তনাদ করে উঠে কাতর গলায় বলল, "না, না, না!"

কাশেম আলী হিংস্র দানবের মতো হা হা করে হাসতে হাসতে নিরঞ্জনের হালকা দেহটা তুলে নেয় তারপর কুয়ার গভীরে কালো পানির মাঝে ছুড়ে দেয়। নিরঞ্জনের দেহটা মৃদু একটা শব্দ করে কালো পানিতে ডুবে গেল।

শীতল কালো পানিতে ডুবে যেতে যেতে নিরঞ্জন হঠাৎ সম্বিৎ ফিরে পেলো, পানি হাতড়ে হাতড়ে সে কোনোমতে উপরে ভেসে ওঠে। কুয়ার ভেতরের খয়ে যাওয়া ইট ধরে সে বিশ্রাম নেয়, প্রচণ্ড আতংকে তার সমস্ত শরীর থরথর করে কাঁপছে। সে কতক্ষণ সেভাবে বসে ছিল জানে না, যখন মনে হলো কাশেম আলী চলে গেছে তখন সে কুয়ার ইট ধরে ধরে উপরে উঠে এলো। তার মনে হয়েছিল কাশেম আলী পিঠে চাকু বসিয়ে দিয়েছে— কিন্তু সেরকম কিছু নেই। নাক-মুখ রক্তে ভেসে গিয়েছিল, কুয়ার পানিতে ধুয়ে মুছে পরিষ্কার হয়ে গেছে।

পুরো শরীরটা কেমন জানি অসাড় হয়ে আছে। নিরঞ্জন কোনোমতে টলতে টলতে ঘরের ভেতরে এসে ঢোকে। সারা ঘর তছনছ হয়ে আছে— নিশ্চয়ই কাশেম আলী করেছে। মনে হয় দলিলটা খুঁজেছে— কিন্তু নিরঞ্জন জানে সে কখনোই খুঁজে পাবে না। একটা কৌটার মাঝে ঢুকিয়ে সে তার চালের সাথে বেঁধে রেখেছে— না জানা থাকলে কেউ কোনোদিন সেটা খুঁজে পাবে না।

নিরঞ্জন তার ঘরের চারপাশে তাকাল, তারপর টলতে টলতে কোনোমতে বিছানার কাছে গিয়ে উপুর হয়ে পড়ল।

তার ঘুম হলো ছাড়া ছাড়া, কেমন যেন দুঃস্বপ্নের মতো। মাঝে মাঝেই সে চমকে চমকে জেগে উঠছিল, মনে হচ্ছিল আবার বুঝি কাশেম আলী তাকে খুন করতে আসছে, কিন্তু সে চোখ খুলে দেখেছে কেউ নেই। সে একা তার ঘরে শুয়ে আছে, দরজা খোলা, তার মাঝে দিয়ে উথাল পাতাল বাতাস ঘরে এসে হাহাকার করছে।

সেই থেকে নিরঞ্জন কেমন জানি অন্যরকম হয়ে গেল, তার ভেতরে কেমন জানি একটা ভয় এসে দানা বেঁধেছে, মানুষ নিয়ে ভয়, দিনের আলো নিয়ে ভয়, কাশেম আলী নিয়ে ভয়। শুধু যে ভয় তাই নয়, সে মানুষটাই জানি কেমন অন্যরকম হয়ে গেছে, মনে হয় পৃথিবীর কোনো কিছুতেই তার যেন আর কিছু আসে যায় না। তার নড়তে চড়তে ইচ্ছে করে না, বাইরে যেতে ইচ্ছে করে না। সে দিনরাত তার বিছানার উপর জবুথবু হয়ে বসে থাকে। অকারণে তার কেমন জানি মন খারাপ হয়ে থাকে। বিচিত্র সব স্বপ্ন দেখে, মাঝে মাঝে তার এমন হয়েছে যে কোনটা স্বপ্ন আর কোনটা সত্যি, সে বুঝতে পারে না! নিরঞ্জনের মাঝে মাঝে ভয় হয়, মনে হয় সে বুঝি পাগল হয়ে যাবে। মাঝে মাঝে তার ডাক ছেড়ে কাঁদতে ইচ্ছে করে।

এভাবে কয়দিন গিয়েছে সে জানে না। এর মাঝে সে একদিনও ঘর থেকে বের হয়ে বেশি দূর যায় নি, একজন মানুষের সাথেও দেখা হয় নি। তাদের গ্রামের রইস উদ্দিনের সাথে একদিন দেখা হয়েছিল, অন্ধকার ছিল বলে রইস উদ্দিন মনে হয় তাকে চিনতে পারে নি, একেবারে কাছে দিয়ে হেঁটে গেলো তাকে কিছু বলল না!

নিরঞ্জন অবশ্যি সে জন্যে কিছু মনে করে নাই, তার মনটা আজকাল অন্য রকম হয়ে গেছে, দুঃখ রাগ বা আনন্দ কিছুই হয় না। সব সময় তার ভেতরে এক রকম চাপা ভয়। শুধু মনে হয় কাশেম আলী বুঝি আবার এসে হাজির হয়। সেদিন তাকে খুন করতে চেয়েছিল, পারে নি, আবার যদি দেখা হয়

তাহলে কী তাকে ছেড়ে দিবে? ভয়ে সারাক্ষণ নিরঞ্জনের বুক ধ্বক ধ্বক করতে থাকে।

সত্যি সত্যি নিরঞ্জনের সন্দেহ একদিন সত্যি হয়ে গেলো। সেই রাতে আকাশে খুব বড় একটা চাঁদ উঠেছে, জ্যোৎস্নার আলোয় চারিদিকে কেমন জানি একটা মায়াবী ভাব। তার উঠোনে বাঁশঝাড়ের এক ধরনের ছায়া পড়েছে, বারান্দার এককোনে পা ঝুলিয়ে নিরঞ্জন বসে আছে তার মাঝে হঠাৎ করে কাশেম আলী পা টিপে টিপে হাজির হলো। নিরঞ্জন ভয়ে একেবারে পাথর হয়ে গেলো, তার অমানুষিক এক ধরনের ইচ্ছে করল এক দৌড়ে পালিয়ে যেতে কিন্তু সে পালাতে পারল না। কাশেম আলী অবশ্যি তাকে দেখতে পেলো না— এদিক সেদিক তাকিয়ে সে ঘরের ভেতরে ঢুকে গেলো। নিরঞ্জন নিঃশ্বাস বন্ধ করে শুনতে পেলো কাশেম আলী তার ঘরের সব কিছু তছনছ করে দলিল খুঁজছে। বালিশের নিচে তার সিন্দুকের চাবি পেয়ে গেলো, নিরঞ্জন শুনতে পেলো কাশেম আলী সিন্দুকের তালাটা খুলে তার ডালাটা টেনে তুলেছে। এতোদিনের পুরানো সিন্দুক ডালা খোলার সময় সেটা ক্যাঁচ ক্যাঁচ শব্দ করে উঠল। কাশেম আলী একটা হারিকেন নিয়ে এসেছে, সিন্দুকের ভিতরে সেটা নামিয়ে দিয়ে মাথা ঢুকিয়ে খুঁজছে।

সিন্দুকের ভেতরে তার বাবার রাজ্যের কাগজপত্র, উঁইয়ে খেয়ে ফেলেছে, এর ভিতরে কাশেম আলী কোনোদিন তার দলিল খুঁজে পাবে না; কিন্তু কাশেম আলী তো সেটা জানে না। ভালো করে খোঁজার জন্যে কাশেম আলী তার মোষের মতো শরীর নিয়ে শেষ পর্যন্ত সিন্দুকের ভিতরেই ঢুকে যায়। কাগজ ঘাঁটাঘাঁটি করতে থাকে, বেদরকারি কাগজগুলো ছুড়ে ছুড়ে ফেলতে থাকে।

ঠিক এরকম সময় নিরঞ্জনের একটা কথা মনে হলো— সে যদি সাবধানে গিয়ে সিন্দুকের ডালাটা ফেলে দেয় তাহলেই তো কাশেম আলী সিন্দুকের ভিতর আটকা পড়ে যাবে— মানুষটার একটা উচিৎ শিক্ষা হবে তাহলে! সিন্দুকের ভিতর আটকে ফেলে সে যদি রইস উদ্দিন আর আরও দশজন গণ্যমান্য মানুষকে ডেকে এনে নালিশ করে তাহলে কেমন হয়? কাশেম আলী মানুষটা যত বড় গুণ্ডাই হোক তার নিজের বাড়িতে নিজের সিন্দুকের মাঝে আটকে ফেলতে পারলে কেউ আর তার কথার অবিশ্বাস করবে না। কেউ তো আর খোশ গল্প করার জন্যে সিন্দুকে ঢুকে না।

নিরঞ্জন আজকাল খুব ভীতু হয়ে গেছে, তারপরেও সে খুব সাহসে ভর করে এগিয়ে গেলো। সিন্দুকের কাছাকাছি যেতেই ভয়ে তার বুক ধ্বক ধ্বক করতে থাকে, একবার মনে হলো সে ছুটে পালিয়ে যাবে, কিন্তু অনেক কষ্ট করে সে পালিয়ে গেলো না। পা টিপে টিপে সিন্দুকের কাছে গিয়ে সে যেই ডালাটাতে হাত দিয়েছে সাথে সাথে কাশেম আলী চমকে উঠে নিরঞ্জনের দিকে তাকালো, ভয়ে নিরঞ্জন একেবারে পাথরের মতো স্থির হয়ে গেলো! নিরঞ্জনকে দেখে কাশেম আলী নিশ্চয়ই এখন ভয়ংকর খেপে চিৎকার করে উঠবে, লাফ দিয়ে সিন্দুক থেকে বের হয়ে তাকে ধরে ফেলবে তারপর সে নিশ্চয়ই তাকে খুন করে ফেলবে। কিন্ত কী আশ্চর্য কাশেম আলী কিছুই করল না! হঠাৎ করে নিরঞ্জন বুঝতে পারল আসলে কাশেম আলী তাকে দেখতে পায় নি। সিন্দুকের ভিতরে বসে আছে, হারিকেনের আলো চোখে লাগছে তাই বাইরে কী আছে নিশ্চয়ই পরিষ্কার দেখতে পাচ্ছে না। কয়েক সেকেন্ড অপেক্ষা করে কাশেম আলী আবার মাথা নিচু করে সিন্দুকের ভেতরের কাগজগুলো ঘাঁটতে শুরু করে দেয়।

নিরঞ্জন এবারে ডালাটি টান দিয়ে নিচে ফেলে দিল। শব্দ করে ডালাটি বন্ধ হতেই ভিতরে কাশেম আলী ভয়ানক চমকে উঠে ডালাটি উপরের দিকে ঠেলে ধরে, কাশেম আলী ভয় পেয়েছে, ডালাটি বন্ধ হতে দিচ্ছে না। নিরঞ্জন প্রাণপণে শরীরের সমস্ত শক্তি দিয়ে ডালাটি নিচে ঠেসে ধরে, কাশেম আলীও তার শরীরের সমস্ত শক্তি দিয়ে সিন্দুকের ডালাটা খুলে রাখার চেষ্টা করতে থাকে। মানুষটার গায়ে মোষের মতো জোর, নিরঞ্জনের মনে হলো সে বুঝি আর পারবে না, কিন্তু হঠাৎ তখন একটা বিচিত্র ব্যাপার ঘটলো। নিরঞ্জনের মনে হলো প্রচণ্ড পরিশ্রমে হঠাৎ তার শরীরে কিছু একটা হয়ে গেলো এবং ঠিক সেই মুহূর্তে কাশেম আলীও যেন তাকে প্রথমবারের মতো দেখতে পেলো। নিরঞ্জন ভেবেছিল তাকে দেখে রেগে যাবে, কিন্তু কাশেম আলী রাগলো না, সে অসম্ভব ভয় পেয়ে গেলো। অমানুষিক এক ধরনের ভয়, নিরঞ্জন এর আগে কখনো কোনো মানুষকে এতো ভয় পেতে দেখে নি— কাশেম আলীর মুখ রক্তশূন্য হয়ে যায়, মুখ হাঁ হয়ে যায় এবং দেখে মনে হয় সে নিজের চোখকে বিশ্বাস করতে পারছে না। কাশেম আলী থরথর করে কাঁপতে থাকে, বিস্ফারিত চোখে নিরঞ্জনের দিকে তাকিয়ে অমানুষিক একটা আর্তনাদ করে উঠল তারপর হঠাৎ করে ধড়াম করে সিন্দুকের ভিতরে পড়ে গেলো। কাশেম আলীর পায়ের সাথে লেগে হারিকেনটা উল্টে পড়ে, কেরোসিন ছড়িয়ে পড়ে মুহূর্তের মাঝে ভেতরে আগুন ধরে যায়। কাশেম আলী সেই জ্বলন্ত আগুনের

মাঝে নিজের বুক চেপে ধরে বিকৃত মুখ করে গোঙ্গানোর মতো শব্দ করতে থাকে। দেখে মনে হয় ভয় পেয়ে মানুষটা বুঝি মরে যাচ্ছে।

নিরঞ্জন আর দেরি করল না সিন্দুকের ডালাটা টেনে নামিয়ে দিয়ে ঘটাং করে আংটা দিয়ে আটকে দিল, কাশেম আলী আর বের হতে পারবে না। ভেতরে আটকা পড়ে কাশেম আলী ছটফট করছে, সিন্দুকের দেয়ালে মাথা ঠুকছে। ভেতরে কাগজপত্রে নিশ্চয়ই ভালো ভাবেই আগুন লেগে গেছে, কারণ সিন্দুকের ফাঁক দিয়ে কালো ধোঁয়া বের হতে শুরু করেছে, সেই ধোঁয়ায় বিকট পোড়া মাংশের গন্ধ, নিরঞ্জনের নাড়ি উল্টে আসতে চাইল।

নিরঞ্জন চুপ করে সিন্দুকের কাছে দাঁড়িয়ে থাকে, শুনতে পায় ভিতরে কাশেম আলী দাপাদাপি করছে, গোঙ্গানোর মতো শব্দ করে ছটফট করছে, কিন্তু নিরঞ্জনের তার জন্যে একটুও মায়া হলো না। কাশেম আলী মানুষ নয়, সে একটি দানব। এই দানবটা তাকে খুন করে কুয়ার ভিতরে ফেলে দিতে চেয়েছিল— একটুর জন্যে সে বেঁচে এসেছে— আরেকটু হলে সে তো মরেই যেতো।

নিরঞ্জন সিন্দুকের কাছে দাঁড়িয়ে অল্প অল্প কাঁপতে থাকে, ভিতরে কাশেম আলীর দাপাদাপি এবং গোঙ্গানোর মতো শব্দটা খুব বেড়েছে, হঠাৎ করে দড়াম করে ভেতরে একটা প্রচণ্ড শব্দ হলো, মনে হলো কাশেম আলী গায়ের জোরে সিন্দুকের ভেতরে একটা লাথি মেরেছে। তারপর হঠাৎ করে দাপাদাপি এবং গোঙ্গানোর শব্দ থেমে গেল। নিরঞ্জন তখন একটু ভয় পেয়ে যায়, মানুষটা কী মরেই গেলো নাকি?

সে চাপা গলায় ডাকলো, “কাশেম ভাই।”

কোনো উত্তর নেই। নিরঞ্জন তখন আরেকটু জোরে ডাকল, “কাশেম ভাই—”

এবারেও কোনো উত্তর নেই। নিরঞ্জন ভয় পেয়ে সিন্দুকটা খুলতে যাচ্ছিল কিন্তু হঠাৎ করে থেমে গেলো— সিন্দুকের ফাঁক দিয়ে কুচকুচে কালো ধোঁয়ার মতো কিছু একটা বের হচ্ছে। নিরঞ্জন হতবাক হয়ে তাকিয়ে থাকে এবং বিস্ফারিত চোখে দেখতে পায় জিনিসটা একটা মানুষের মতো রূপ নিচ্ছে। ঘরের ভেতরে আবছা অন্ধকার কিন্তু তার ভিতরেও মানুষটাকে চিনতে নিরঞ্জনের অসুবিধে হলো না— মানুষটি কাশেম আলী! কাশেম আলীর মূর্তিটা টলতে টলতে কয়েক পা এগিয়ে যায়, মনে হয় ঠিক বুঝতে পারছে না, চারপাশে কী হচ্ছে!

নিরঞ্জন আতংকে চিৎকার করে উঠতে যাচ্ছিল অনেক কষ্ট করে নিজেকে সামলে নেয়। সে হতচকিত হয়ে কাশেম আলীর দিকে তাকিয়ে থাকে— তাকে আর মানুষ বলে মনে হচ্ছে না, চোখ দুটো কোটরে ঢুকে গেছে, মুখ খোলা সেখান থেকে লালা ঝরছে, হাত দুটো লম্বা, শরীর থেকে ঝুলছে, দেখে কেমন যেন এক ধরনের পশুর মতো মনে হয়। কাশেম আলীর মূর্তিটা টলতে টলতে ঘর থেকে বের হলো, বাইরে জ্যোৎস্নায় কিছুক্ষণ দাঁড়িয়ে থেকে জন্তুর মতো এক ধরনের শব্দ করে। হঠাৎ করে উঠোনের পাশে বাঁশঝাড় নড়ে উঠল, সেখানে কেমন যেন হুটোপুটি শুরু হয়ে যায়। কাশেম আলী সেদিকে তাকালো, তারপর দুই হাত এবং দুই পায়ে ভর দিয়ে সেই অন্ধকারের দিকে ছুটে যেতে থাকে। বাঁশঝাড়ের নিচে হঠাৎ করে বিচিত্র এক ধরনের চিৎকার চেঁচামেচি শোনা যায়— বাঁশঝাড় নড়তে থাকে এবং কয়েকটা রাত জাগা পাখি ভয় পাওয়া গলায় ডাকতে ডাকতে রাতের আকাশে উড়ে যায়। যেভাবে হঠাৎ করে একটা হুটোপুটি শুরু হয়েছিল ঠিক সেভাবে হঠাৎ করেই সেটা আবার থেমে গেলো— চারপাশে একধরনের সুনসান নীরবতা— একটু আগে এখানে কিছু একটা গোলমাল হয়েছিল বোঝার কোনো উপায় নেই।

নিরঞ্জন কয়েক মুহূর্ত বাইরের জ্যোৎস্নার দিকে তাকিয়ে থাকে, তারপর বড় একটা নিশ্বাস ফেলল, সে ভয়ে কুলকুল করে ঘামছে। খুব কষ্ট করে সে সাহস সঞ্চয় করে সিন্দুকটা খুলল, ডালাটা টেনে তুলতেই ভক করে তার নাকে একটা পোড়া গন্ধ এসে লাগলো। নাক বন্ধ করে নিরঞ্জন ভিতরে তাকালো, সিন্দুকের ভিতরে কাশেম আলীর নিথর শরীরটা পড়ে আছে— মুখ বিকৃত, চোখ দুটোতে ভয়ংকর অমানুষিক এক ধরনের আতংক। একটু আগে সে তাহলে কাকে হেঁটে যেতে দেখেছে? কাশেম আলীর প্রেতাত্মা?

নিরঞ্জন অমানুষিক এক ধরনের আতংকে ঘর থেকে বের হয়ে আসে। ভয়ে চিৎকার করে ছুটে যাওয়ার একটা অদম্য ইচ্ছে করছিলো— অনেক কষ্ট করে সে নিজেকে শান্ত করল। তাকে এখন খুব ঠাণ্ডা মাথায় কাজ করতে হবে— সে একটা মানুষকে খুন করে ফেলেছে। মানুষটা একজন ভয়ংকর মানুষ, কিন্তু তাই বলে তাকে খুন করে ফেলার তো তার কোনো অধিকার নেই। কিন্তু সে ইচ্ছা করে খুন করে নাই— তাকে সে সিন্দুকে আটকে ফেলে দশ জনকে দেখাতে চেয়েছিল, খুন করতে চায় নাই। নিরঞ্জনের মাথাটা কেমন যেন এলোমেলো হয়ে যায়— সে কী করবে বুঝতে পারে না। নিরঞ্জন আস্তে আস্তে হেঁটে হেঁটে তার বারান্দায় এসে বসলো, পুরো ব্যাপারটা একটু ভালো করে ভেবে দেখা দরকার।

নিরঞ্জন অবশ্যি ভেবে কিছু বের করতে পারল না— সত্যি কথা বলতে কী সে ঠিক করে কিছু ভাবতেও পারছিল না। ব্যাপারটা সে আগেও লক্ষ্য করেছে— আজকাল সে কোনো কিছু আর ঠিক করে ভাবতে পারে না। সব কিছুই কেমন যেন এলোমেলো হয়ে যায়। সব সময়েই বুকের ভিতরে এক ধরনের চাপা আতংক কাজ করে। সবচেয়ে ভালো হয় সে যদি তার পড়শী রইস উদ্দিনের কাছে সব কিছু খুলে বলে, রইস উদ্দিনের মাথাটি খুব পরিষ্কার— এরকম অবস্থায় কী করতে হবে তাকে ভালো করে বলে দিতে পারবে।

নিরঞ্জন হেঁটে যেতে যেতে হঠাৎ করে থমকে গেলো— কেমন যেন একটা পচা গন্ধ। সে আরও দুই পা এগিয়ে যেতেই গন্ধটা হঠাৎ কেমন যেন তীব্র হয়ে উঠল, বিকট দুর্গন্ধে হঠাৎ তার গা গুলিয়ে আসে। নিরঞ্জন এদিক সেদিক তাকায়— কাছেই কুয়া— গন্ধটা কী কুয়ার ভেতর থেকে আসছে? কয়েকদিন আগে কাশেম আলী তাকে এই কুয়ার ভিতরে ফেলে দিয়েছিল, কপাল জোরে বেঁচে ফিরে এসছে। গন্ধটা কোথা থেকে আসছে খুঁজতে গিয়ে নিরঞ্জন কুয়াটার কাছে এগিয়ে যায়, চাঁদটা এখন ঠিক মাথার উপরে, কুয়ার ভেতরে চাঁদের আলো এসে পড়েছে। নিরঞ্জন কুয়ার ভেতরে উঁকি দিতেই ভক করে বিকট তীব্র একটা মাংশ পচা গন্ধে তার নাড়ি উল্টে আসতে চায়। নিরঞ্জন নাক চেপে রেখে নিচে তাকালো, নিচে কালো পানিতে একটা মানুষের শরীর ভাসছে। শরীরটা কতোদিন থেকে এখানে আছে কে জানে, পচে ফুলে উঠেছে।

ভয়ংকর আতংকে নিরঞ্জন থরথর করে কেঁপে ওঠে। সে মানুষটার মুখের দিকে তাকায়, পচে ফুলে উঠেছে তবুও মানুষটাকে সে চিনতে পেরেছে।

মানুষটি নিরঞ্জন। নিরঞ্জন ভয়ংকর আতংকে তার নিজের মৃতদেহের দিকে তাকিয়ে থাকে।

বাসা

বাসার সামনে এসে আমি একেবারে হতবাক হয়ে গেলাম— একজন মানুষের বাসা যে এতো বড় হতে পারে নিজের চোখে না দেখলে আমি বিশ্বাস করতে পারতাম না। নিচে গ্যারেজ, সিঁড়ি দিয়ে বাসার দরজা পর্যন্ত উঠে যেতে হলো, কারুকাজ করা কাঠের দরজা। দরজা খুলে ভিতরে ঢুকেই আমি মনে মনে একটা দীর্ঘশ্বাস ফেললাম। আজকে এখানে সম্ভবত শ-খানেক মানুষ এসেছে, তাদের বেশিরভাগকেই আমি চিনি না, গোটা দশেক মানুষের সাথে হালকা মুখ-চেনা ধরনের পরিচয় আছে। যারা অপরিচিত তাদের নিয়ে আমার কোনো সমস্যা নেই, কিন্তু যাদের সাথে হালকা এক ধরনের পরিচয় তাদের সাথে পরবর্তী এক-দুই ঘণ্টা আমাকে ভদ্রতার এক ধরনের কথাবার্তা চালিয়ে যেতে হবে। সোজাসুজি প্রশ্ন না করে কথাবার্তার ধরন থেকে আমাকে বের করতে হবে মানুষটি কে, তাকে আমি আগে কোথায় দেখেছি এবং সেই মানুষটিও সেভাবে বের করার চেষ্টা করবে আমি কে এবং সে আমাকে আগে কোথায় দেখেছে! তারপর দুজনেই ভদ্রতার একটা আলাপ চালিয়ে যাব এবং মনে মনে কখন এই যন্ত্রণা শেষ হবে তার জন্যে অপেক্ষা করতে থাকব।

ভেতরে ঢুকে আমি এদিক সেদিক তাকালাম, বাসার মালিক আমাকে দেখে অসম্ভব খুশি হয়েছেন এরকম ভান করে আমার দিকে এগিয়ে এলেন, আমার হাত ধরে পুরোপুরি অর্থহীন কয়েকটা কথা বললেন এবং প্রায় টেনে একপাশে দাঁড়িয়ে থাকা কিছু মানুষের কাছে নিয়ে গেলেন— সেখানে তাদের জিম্মায় ছেড়ে দিয়ে আবার অন্য একজন অতিথির দিকে খুব খুশি হওয়ার ভান করে ছুটে গেলেন। আমাকে যাদের জিম্মায় ছেড়ে গেছেন তাদের দিকে তাকিয়ে আমি একটু দেঁতো হাসি হেসে "কেমন চলছে" "ভাবীর শরীর

কেমন” “সবাই ভালো তো” এরকম অর্থহীন অপ্রয়োজনীয় কথা বলতে লাগলাম। কিছুক্ষণের মাঝে একজন মানুষ একটা ট্রেতে অনেকগুলো গ্লাসে নানাধরনের পানীয় নিয়ে হাজির হলো, আমি সাবধানে একটা নির্দোষ গ্লাস তুলে নিয়ে অন্যমনস্ক ভান করে ভিড় থেকে সরে এলাম।

বিশাল ড্রয়িংরুমের জায়গায় জাগায় মানুষজনেরা ছোট ছোট দলে ভাগ হয়ে কথাবার্তা বলছে। পুরুষ-মহিলা প্রায় সমান সমান, কথাবার্তার বেশির ভাগ হচ্ছে ইংরেজিতে। যারা বাংলায় কথা বলছেন তাদের বাংলা কথাও শুনতে ইংরেজীর মতো শোনায়। একটু দূরে সরে গিয়ে এই মানুষগুলোকে দেখতে বেশ লাগে কিন্তু সরে যাওয়ার সুযোগ নেই।

আমি ঘরে পায়চারি করতে করতে এক কোনায় এসে একটা খালি সোফা পেয়ে গেলাম, এক কোনায় একজন বিরস মুখে বসে আছে, আমি অন্য পাশে বসে টেবিলে রাখা ম্যাগাজিনগুলো দেখতে থাকি। বেশিরভাগই পুরানো নিউজউইক, ছয় সাত মাস আগে হলিউডে কী ধরনের স্ক্যান্ডাল হয়েছিল সেগুলো পড়ে বেশ সময় কেটে যাবে বলে মনে হচ্ছে।

সোফার অন্য মাথায় বসে থাকা মানুষটি তার পকেট থেকে একটা ছোট পানের বাটা বের করে সেখান থেকে পান সুপুরি বের করে একটা ছোট পানের খিলি তৈরি করে মুখে পুরে দিলেন। পানের বাটায় ছোট ছোট খুপরিতে জর্দা, মশলা এবং চুন রাখা আছে আঙুলের ডগায় একটু চুন লাগিয়ে নিয়ে বাটাটি বন্ধ করতে গিয়ে মানুষটি আমার দিকে তাকালেন। আমি তার পান খাওয়ার পুরো প্রক্রিয়াটি বেশ মনোযোগ দিয়ে লক্ষ্য করছিলাম, মানুষটি সেটা লক্ষ্য করে পানের বাটাটা আমার দিকে এগিয়ে দিয়ে বলল, “খাবেন?”

আমি একটু লজ্জা পেয়ে গেলাম, বললাম, “না খাব না। থ্যাংক ইউ।”

ভদ্রলোক পানের বাটা বন্ধ করে পকেটে রেখে পান চিবুতে শুরু করে বললেন, “না খাওয়াই ভালো। খুব খারাপ অভ্যাস।”

আমি একটু হাসার চেষ্টা করে বললাম, “অনেকদিন পর একজনকে পানের বাটা থেকে পান সুপুরি বের করে খেতে দেখলাম।”

ভদ্রলোক তার মূল্যবান পানের পিক মুখের মাঝে রক্ষা করার জন্যে মুখটা একটু উপরে তুলে বললেন, “আমার বউ মনে হয় এই কারণেই আমাকে ডিভোর্স করে দেবে!”

আমি ভদ্রলোকের আগে-পিছে কিছু জানি না, তারপরেই কথার পিঠে কথা বলার জন্যে বললাম, “এতোদিন যখন করেন নি, মনে হয় আর করবেন না!”

"এতোদিন কী বলছেন? আমার পান খাওয়ার অভ্যাস মাত্র দুই বছরের ।"

"কেমন করে হলো?"

"ছয় মাসের জন্যে সুইডেন গিয়েছিলাম একটা কাজে, সেখান থেকে শিখে এসেছি ।"

ভদ্রলোক ঠাট্টা করছেন কী না বোঝার জন্যে আমি ভালো করে তার দিকে তাকালাম, কিন্তু চোখেমুখে কৌতুক কিংবা রসিকতার কোনো চিহ্ন নেই। ভদ্রলোক হাসি হাসি মুখ করে বললেন, "বিশ্বাস করলেন না, তাই না? কেউ বিশ্বাস করে না। কিন্তু সত্যি কথা। ইচ্ছে করলে আমার বউকে জিজ্ঞেস করে দেখতে পারেন ।"

"বিশ্বাস করা একটু শক্ত কিন্তু আপনি যেহেতু বলছেন বিশ্বাস করছি ।"

"উড়িষ্যার একজন কলিগ ছিলো, সেই ব্যাটা এই উপকার করে দিয়ে গেছে— আমাকে পান খাওয়ানো শিখিয়ে দিয়েছে! এখন ঘণ্টায় ঘণ্টায় এক খিলি মুখে না দিলে জুত লাগে না ।"

পান নিয়ে আলোচনা কতোক্ষণ চালিয়ে যেতে পারব আমি সে ব্যাপারে নিশ্চিত ছিলাম না কিন্তু ভদ্রলোক আমাকে সেই বিপদ থেকে উদ্ধার করলেন, বললেন, "আচ্ছা, আমি যদি এখন এই বাসার দেওয়ালে পানের পিক ফেলে দিই তাহলে বাসার মালিক কী করবেন বলে আপনার মনে হয়?"

আমি হা হা করে হেসে বললাম, "চোখ বড় বড় করে তাকিয়ে থাকা ছাড়া আর কী করবেন?"

"দেবো নাকি ফেলে?"

"একেবারে নূতন ঝকঝকে বাসা, প্রথম দিনেই ফেলবেন?"

"থাক তাহলে ।" ভদ্রলোক মুখ উঁচু করে পানের পিককে রক্ষা করে পান চিবুতে চিবুতে বললেন, "পার্থিব জিনিসের উপর বেশি মায়া করলে আত্মার মুক্তি হয় না, ভূত হয়ে ফিরে আসতে হয় ।"

যে মানুষ এক মুহূর্ত আগে দেওয়ালে পানের পিক ফেলা নিয়ে চিন্তা ভাবনা করছে, পরের মুহূর্তে আত্মার মুক্তি নিয়ে কথা বলবে বুঝতে পারি নি। একটু থতমত খেয়ে বললাম, "কী বললেন?"

"বলেছি যে, এই বাড়ির মালিক মারা যাবার পর ভূত হয়ে এই বাড়িতে থেকে যাবে ।"

"কেন?"

"বাড়িটা দেখছেন না? এতো বড় বাড়ি আগে দেখেছেন?"

৫৩

আমাকে স্বীকার করতেই হলো যে আমি এতো বড় বাড়ি এর আগে কখনো দেখি নি। ভদ্রলোক মাথা নেড়ে বলল, "একজন মানুষের বেঁচে থাকার জন্যে আসলে এতো বড় বাড়ি লাগে না। তারপরেও কেন এতো বড় বাড়ি বানায় জানেন?"

গলা নামিয়ে বললাম, "ব্ল্যাক মানির একটা গতি করতে হবে তো!"

ভদ্রলোক মাথা নাড়লেন, বললেন, "সেটা একটা কারণ। আরেকটা কারণ হচ্ছে টাকা দিয়ে আরো কতো ইন্টারেস্টিং কাজ করা যায় এরা জানে না!"

টাকা দিয়ে আরো কী ইন্টারেস্টিং কাজ করা যায় জিজ্ঞেস করতে গিয়ে আমি থেমে গেলাম, আমিও সেটা জানি না মনে করে ভদ্রলোক যদি অবাক হয়ে আমার দিকে তাকান তখন সেটা খুব লজ্জার ব্যাপার হবে।

ভদ্রলোক গম্ভীর গলায় বললেন, "পার্থিব জিনিসে এরা এমনভাবে ফেঁসে যায় চিন্তা করতে পারবেন না। পুরো জীবনটাতেও সবকিছু শেষ হয় না মরে যাবার পরও বাকি থাকে। তখন ভূত হয়ে বাসায় থেকে যায়, এক ঘর থেকে আরেক ঘরে ঘুরে বেড়ায়। সবকিছু দেখেশুনে রাখে। কেউ বাসার অযত্ন করলে তাকে যন্ত্রনা দেয়।"

আমি মানুষটাকে ঠিক বুঝে উঠতে পারছিলাম না— কথাগুলো ঠাট্টা এবং রসিকতার কথা কিন্তু এমন গম্ভীর মুখে বলছে যেন ব্যাপারটা আসলেই বিশ্বাস করেন। আমি হেসে বললাম, "আপনার কথা শুনে মনে হচ্ছে ভূত কী করে আপনি ভালো করে জানেন।"

ভদ্রলোক মাথা নেড়ে বললেন, "জানি।"

আমি একটু অবাক হয়ে বললাম, "জানেন?"

"হ্যাঁ। আমি এরকম একটা বাড়িতে ছিলাম। ভূত ছিল সেই বাড়িতে। আমার একেবারে ফার্স্টহ্যান্ড এক্সপেরিয়েন্স আছে।"

আমি চোখ বড় বড় করে মানুষটার দিকে তাকালাম, বলে কী মানুষটা? জিজ্ঞেস করলাম, "কবে হয়েছিল এক্সপেরিয়েন্স।"

"বছর পাঁচেক আগে। প্যাসাডিনা, ক্যালিফোরনিয়ায়।"

আমি মুখ হাঁ করে বললাম, "আপনার পান খাওয়ার অভ্যাস হয়েছে সুইডেনে, ভূত দেখার এক্সপেরিয়েন্স ক্যালিফোরনিয়াতে?"

ভদ্রলোক হা হা করে হেসে বললেন, "ঠিকই ধরেছেন। আমি ইলিশ মাছ দিয়ে পান্তাভাত খাওয়া শিখেছি নিউ জার্সিতে। সেখানে অবশ্যি ইলিশ বলে না, বলে শ্যাড মাছ।"

"বাংলাদেশে কী শিখেছেন?"

আমাদের কাছে দাঁড়িয়ে ছোট একটা দল ইংরেজী এবং ইংরেজী উচ্চারণে বাঙলায় কথা বলছে, ভদ্রলোক তাদের দিকে ইঙ্গিত করে বললেন, "মনে হয় ইংরেজীতে কথা বলা শিখে যাব!"

তারপর খুব মারাত্মক একটা রসিকতা করে ফেলেছেন ভাব করে এতো জোরে জোরে শব্দ করে হেসে উঠলেন যে আশেপাশে যারা ছিলো তাদের অনেকে ঘুরে আমাদের দিকে তাকালো।

আমি হাসি থামা পর্যন্ত অপেক্ষা করে জিজ্ঞেস করলাম, "আপনি সত্যিই প্যাসাডিনা শহরে ভূত দেখেছেন?"

"ভূত বলেন, ভৌতিক ব্যাপার বলেন, অলৌকিক ঘটনা বলেন— কিছু একটা দেখেছি।"

আমি কিছুক্ষণ ভদ্রলোকের দিকে তাকিয়ে বললাম, "কীভাবে দেখেছেন, বলবেন আমাকে?"

"শুনতে চাইলে বলব না কেন? অবশ্যই বলব।"

"শুনতে চাই।"

"শোনেন তাহলে।"

তারপর ভদ্রলোক যে ঘটনাটা বললেন সেটা এরকম :

আমি সদ্য পি.এইচ-ডি শেষ করেছি, গ্রাজুয়েট স্কুলে থাকতে থাকতেই বিয়ে করেছিলাম এখন দুই বছরের একটা বাচ্চাও আছে। এরকম সময়ে ক্যালটেক থেকে একটা পোস্ট ডক্টরাল কাজের অফার পেলাম। এতো বিখ্যাত প্রতিষ্ঠান খুব আগ্রহ নিয়ে চলে এসেছি। গ্রাজুয়েট স্কুলের ছাত্রছাত্রীরা সাধারণত হতদরিদ্র হয়, সংসারের পুরো জিনিসপত্র মোটামটি গাড়িতেই এটে যায়, একটা ইউ হল ভাড়া করে সংসারের সব জিনিস নিয়ে প্যাসাডিনা চলে এসেছি। প্রথম কয়েকদিন থাকার জন্যে ব্যবস্থা করা হয়েছে এর মাঝে নিজের বাসা খুঁজে নিতে হবে।

এপার্টমেন্ট খুঁজতে গিয়ে একটা সমস্যায় পড়েছি, দুই বছরের বাচ্চা আছে শুনে কেউ আর এপার্টমেন্ট ভাড়া দিতে চায় না। বাইরে লেখা থাকে "পোষা কুকুর বেড়াল রাখা যাবে না"— খোঁজ নিয়ে জানতে পারি যে আসলে বোঝাতে চেয়েছে ছোট বাচ্চা কিংবা কুকুর বেড়াল রাখা যাবে না। সত্য কথা বলতে কী ছোট বাচ্চাদের পোষা কুকুর বেড়াল থেকেও খারাপভাবে দেখা হয়। টাকা-পয়সাও তেমন নেই যে ভালো জায়গায় ভালো এপার্টমেন্ট নেব।

বাসা খুঁজে খুঁজে মোটামুটি হতাশ হয়ে গেছি, তখন এক এপার্টমেন্টের ম্যানেজারের সাথে দেখা হলো, সে বারান্দায় একটা জীর্ণ চেয়ারে বসে চুরুট টানছে এবং কাশছে। তার কাছে থাকার মতো এপার্টমেন্ট আছে কীনা জানতে চাইলেই মাথা নাড়ল, বলল, "নাই।" আমি চলে আসছিলাম তখন সে পিছন থেকে ডাকল, বলল, "কী করো তুমি?"

"ক্যালটেকে জয়েন করেছি। পোস্ট ডক করব।"

বুড়ো ম্যানেজার চুরুট সরিয়ে বলল, "নূতন এসেছ বোঝাই যাচ্ছে। এখানে প্রথমেই বলতে হয় যে তুমি ক্যালটেকে আছ। মানুষ তখন তোমাকে অন্যভাবে দেখবে। কেউ জানতে না চাইলেও নিজে থেকে বলবে। বুঝেছ?"

আমি মাথা নাড়লাম, বললাম, "এখন তাহলে বলো, আছে এপার্টমেন্ট? আমি আমার স্ত্রী আর দুই বছরের বাচ্চা। বাচ্চাটা খুব শান্ত— গ্যারান্টি দিচ্ছি চিৎকার করবে না।"

ম্যানেজার হা হা করে হেসে বলল, "না এপার্টমেন্ট নাই। তবে—"

"তবে?"

"একটা ছোট বাসা আছে।"

বাসার কথা শুনে আমি একটু মুষড়ে পড়লাম, এক দেড় বেডরুমের এপার্টমেন্ট ভাড়া করতে পারি কিন্তু বাসা ভাড়া করার ক্ষমতা কোথায়? ম্যানেজারকে অবশ্যি বেশ উৎসাহী দেখা গেলো, বলল, "তোমার দুই বছরের বাচ্চা আছে, তোমার জন্যে পারফেক্ট—"

আমি আমতা আমতা করে বললাম, "কিন্তু ভাড়া দেবো কোত্থেকে?"

ম্যানেজার মাথা নিচু করে ষড়যন্ত্রীর মতো বলল, "ভাড়া নিয়ে চিন্তা করো না, এপার্টমেন্টের সমানই হবে! বাসাটা পুরানো, ছোট—"

"কোথায় বাসাটা?"

"এইতো এপার্টমেন্টের পাশেই। আসো তোমাকে দেখাই—"

আমি ম্যানেজারের সাথে বের হয়ে এলাম। দুই পাশে দুটো বড় বড় এপার্টমেন্ট কমপ্লেক্স, তার ঠিক মাঝখানে হঠাৎ খানিকটা জায়গায় রীতিমতো জঙ্গল। ম্যানেজারের পিছুপিছু জঙ্গলের ভিতর দিয়ে হেঁটে গিয়ে দেখি জঙ্গলের মাঝখানে খানিকটা খোলা জায়গা, সেখানে ছোট একটা বাসা, ভূতের সিনেমাতে পোড়াবাড়ি হিসেবে যেরকম বাড়ি দেখায় হুবহু সেরকম! এখানে যে একটা বাসা আছে বাইরে থেকে সেটা বোঝার কোনো উপায় নেই। ম্যানেজার কোমরে ঝোলানো চাবির গোছা থেকে চাবি বের করে তালা খুলে আমাকে

নিয়ে ভেতরে ঢুকলো। বাইরে থেকে এটাকে পোড়াবাড়ি হিসেবে মনে করতে কারো যদি অল্প কিছু সন্দেহও থাকে ভেতরে এলেই সেই সন্দেহ পুরোপুরি দূর হয়ে যাবে। বাসার ভেতরে থমথমে একটা ভাব, চারপাশে এতো গাছ যে দিনের বেলাতেও আবছা অন্ধকার, ভেতরে পুরানো জীর্ণ ফার্নিচার, দাঁড়িয়ে থাকলে মনে হয় এক্ষুণি ক্যাঁচক্যাঁচ শব্দ করে সামনের দরজাটা খুলে যাবে আর শুকনো চিমশে হয়ে যাওয়া একটা নরকংকাল হি হি করে হাসতে হাসতে মাথা বের করবে।

ম্যানেজার চোখমুখ উজ্জ্বল করে বলল, "কী হলো? পছন্দ হয়েছে?"

আমি চিঁচিঁ করে বললাম, "ভাড়াটা?"

"ভাড়া নিয়ে তুমি চিন্তা করো না। প্যাসাডিনার মতো শহরে এপার্টমেন্টের ভাড়া দিয়ে একটা আস্ত বাসা পেয়ে যাচ্ছ সেটা কী সোজা কথা?"

কাজেই আমি আমার স্ত্রী-পুত্র নিয়ে এই পোড়াবাড়িতে চলে এলাম। আমার স্ত্রী শিরীন অবশ্যি বাসা দেখে খুব খুশি। দুই বছরের বাচ্চাকে নিয়ে এপার্টমেন্টে থাকা খুব যন্ত্রণা, বাচ্চা একটা চিৎকার দিলেই আশেপাশের সব এপার্টমেন্টের সবাই দেয়ালে থাবা দিয়ে বিরক্তি প্রকাশ করে, কাজেই সব সময় সতর্ক থাকতে হয়। এই বাসায় আমার বাচ্চা জিশান যত ইচ্ছে চিৎকার করতে পারবে কেউ কিছু জানতেও পারবে না। সত্যি কথা বলতে কী কেউ এসে যদি আমাদের পুরো পরিবারকে খুন করে চলে যায় তাহলেও কেউ কিছু জানতে পারবে না! আমার স্ত্রী শিরীন কোমরে শাড়ি পেঁচিয়ে ঘর দোর পরিষ্কার করতে লাগলো, আমি কার্ডবোর্ডের বাক্স খুলে জিনিসপত্র বের করতে লাগলাম এবং আমার ছেলে জিশান মহানন্দে বাসায় ছোটাছুটি করতে শুরু করল।

সারাদিন খাটাখাটুনি করে আমরা শেষ পর্যন্ত যখন শুতে গিয়েছি তখন রাত একটা বেজে গেছে। কাজকর্ম করে দুজনেই খুব ক্লান্ত, শোয়ামাত্র ঘুমে কাদা হয়ে গেলাম। গভীর রাতে হঠাৎ ঘুম ভেঙ্গে গেলো, শুয়ে শুয়ে শুনতে পেলাম শিরীন বেডরুমের দরজা খুলে বের হয়েছে। তার পায়ের শব্দ শুনতে পেলাম, সে বাথরুমে ঢুকে বাথরুমের দরজা বন্ধ করছে। ঘুম ঘুম চোখে অপেক্ষা করতে লাগলাম যে সে বাথরুম থেকে ফিরে আসবে কিন্তু অনেকক্ষণ হয়ে গেলো সে বের হয়ে আসে না, ব্যাপারটা কী দেখার জন্যে আমি বিছানায় শুয়ে তাকে ডাকলাম, "শিরীন।"

আমার স্ত্রী শিরীন বিছানায় আমার পাশ থেকে ঘুম ঘুম স্বরে বলল, "কী হলো? চিৎকার করছ কেন?"

আমি একেবারে লাফিয়ে বিছানায় উঠে বসলাম, একটু আগে তাহলে কে বেডরুমের দরজা খুলে বাথরুমে গেছে? আমি ভয়ে ভয়ে বিছানা থেকে উঠে বাথরুমে গেলাম, কেউ কোথাও নেই! শিরীন ঘুম ঘুম চোখে বলল, "কী হয়েছে?"

আমি বললাম, "না, কিছু না।"

সে রাতে আমি আর ভালো করে ঘুমাতে পারলাম না। শেষ রাতের দিকে আবার আমার ঘুম ভেঙ্গে গেলো, আমি স্পষ্ট শুনতে পেলাম কে একজন বাইরের ঘর থেকে হেঁটে রান্নাঘরে গিয়ে একটা চেয়ার টেনে বসলো। আমি জানি শিরীন আমার পাশে শুয়ে আছে এবং আমাদের দুজনের মাঝখানে আমাদের ছেলে জিশান, এই বাসায় আমরা তিনজন ছাড়া আর কেউ নেই এবং কোনোভাবেই কারো পক্ষে রান্নাঘরে চেয়ার টেনে বসা সম্ভব না। উঠে গিয়ে দেখার সাহস নেই, আমি নিঃশব্দে শিটিয়ে বিছানায় শুয়ে রইলাম।

সকালে আমাকে দেখে শিরীন আঁতকে উঠল, বলল, "সে কী তোমার একী চোহারা হয়েছে? রাত্রে ঘুমাও নি?"

আমি আমতা আমতা করে বললাম, "না, মানে নূতন জায়গা তো—"

পরের রাতেও ঠিক একই ব্যাপার। গভীর রাতে হঠাৎ শুনতে পেলাম কেউ একজন বসারঘরে বইয়ের শেলফ কিংবা চেয়ার টানাটানি করছে। আমি এবারে শিরীনকে ডেকে তুললাম, শিরীন ঘুম ঘুম চোখে বলল, "কী হয়েছে?"

আমি ফিসফিস করে বললাম, "বাইরের ঘরে কী যেন শব্দ শুনলাম।"

"গিয়ে দেখে এসো—"

আমি লজ্জার মাথা খেয়ে বললাম, "যেতে ভয় করছে।"

শিরীন বিছানায় উঠে বসে বলল, "ঠিক আছে, আমি দেখে আসছি।" সে উঠে বেশ স্বাভাবিকভাবেই সব ঘর দেখে এসে বলল, "কোথাও কেউ নেই। তোমার মনের ভুল।"

"আমি স্পষ্ট শুনলাম—"

"ভুল শুনেছ। এখন ঘুমাও।"

আমি চিঁ চিঁ করে বললাম, "লাইটটা জ্বালিয়ে রাখবে?"

কাজেই সারারাত আমরা লাইট জ্বালিয়ে ঘুমালাম।

শিরীন প্রথম প্রথম আমার কথা বিশ্বাস করে নি কিন্তু এক সময় সেও স্বীকার করল এই বাসায় মাঝে মাঝে বিচিত্র ব্যাপার ঘটে। ব্যাপারটা ঘটলো

জিশানকে নিয়ে, সে মাত্র কথা বলতে শুরু করেছে এবং হঠাৎ করে শিরীন একদিন শুনতে পেলো একা ঘরে সে হেসে কুটি কুটি হচ্ছে, কী দেখে সে হাসছে দেখার জন্যে সে সেই ঘরে গিয়ে দেখে কিছু নেই, জিশান শিরীনকে দেখে তার ভাঙ্গা ভাঙ্গা আধো উচ্চারণে বলল, "আম্মু দেখো—"

শিরীন জিজ্ঞেস করল, "কী দেখব?"

জিশান হাত দিয়ে সামনে অদৃশ্য কিছু দেখিয়ে বলল, "এই যে—" তারপর হঠাৎ আবার হি হি করে হাসতে শুরু করল।

শিরীন একটু ভয় পেয়ে ছুটে গিয়ে জিশানকে কোলে নিয়ে সরে গেলো। আমি বাসায় এসে দেখি শিরীন শুকনো মুখে বসে আছে। সবকিছু শুনে আমি বললাম, "আমি তোমাকে আগেই বলেছি, তুমি আমার কথা বিশ্বাস কর নি।"

শিরীন বলল, "এই বাসায় থাকব না, তুমি অন্য বাসা দেখো।"

আমি মাথা নাড়লাম, বললাম, "ঠিক আছে।"

কিন্তু মজার ব্যাপার হলো আমরা কীভাবে কীভাবে জানি পুরো ব্যাপারটায় অভ্যস্ত হয়ে গেলাম। গভীর রাতে ঘুম ভেঙ্গে যায় আমরা শুনতে পাই কেউ একজন হাঁটছে, দরজা খুলছে এবং দরজা বন্ধ করছে। মাঝে মাঝেই জিশান অদৃশ্য কাউকে দেখে হেসে কুটি কুটি হয়। কী দেখে সে হাসে আমরা বুঝতে পারি না, কিন্তু ব্যাপারটা নিশ্চয়ই মজার কারণ জিশান প্রায়ই বলে, "আবার—আবার—"

সেই অদৃশ্য মূর্তি বা মানুষ জিশানের কথা শুনে আবার কিছু একটা করে এবং জিশান আবার হেসে কুটি কুটি হয়। প্রথম প্রথম আমরা ভয় পেতাম আজকাল আর ভয় লাগে না। আমাদের কোনো ক্ষতি করে না, ভয় দেখায় না জিশান মনে হয় পছন্দই করে, আমরাও বেশ অভ্যস্ত হয়ে গেছি।

বাসাভাড়ার চেক দিতে গিয়ে ম্যানেজারের সাথে দেখা হলো, সে চুরুট টানছে এবং কাশছে, আমাকে জিজ্ঞেস করল, "তোমার বাসায় সবকিছু ঠিক আছে?"

"ঠিক আছে।"

"ভেরি গুড।"

আমি চলে যেতে যেতে থেমে গিয়ে জিজ্ঞেস করলাম, "আচ্ছা, আমরা আসার আগে এখানে কে থাকতো?"

ম্যানেজার ভুরু কুঁচকে আমার দিকে তাকিয়ে বলল, "তুমি শুনলে বিশ্বাস করবে না, কম পক্ষে তিনজন এই বাসাটা ভাড়া করেছে, কেউ এক সপ্তাহের বেশি থাকে নি!"

"কেন?"

"জানি না। রাত্রিবেলা নাকি ভয় পায়। সব সাইকোলজিক্যাল কেস। মদগাঞ্জা ড্রাগস খেলে কী কেউ নরমাল থাকে! তুমি তো ছোট একটা বাচ্চা নিয়ে থাকো— তুমি কী ভয় পাও?"

আমি ঢোক গিলে বললাম, "না ভয় পাই না।"

"তাহলে?"

আমি কথার উত্তর দেবার আগেই হঠাৎ করে ম্যানেজারের বাসার ভেতর থেকে ক্রুদ্ধ গালাগালির শব্দ শুনতে পেলাম, নারীকণ্ঠে কেউ কিছু একটা বলল, তখন মনে হলো কেউ একজন কাউকে আঘাত করলো, ম্যানেজার ভিতরে ছুটে যাচ্ছিল তার আগেই একুশ বাইশ বছরের নিষ্ঠুর চেহারার একটা মানুষ বের হয়ে এলো। মানুষটার ময়লা সোনালী চুল, নীল চোখ, মুখে খোঁচা খোঁচা দাড়ি। চোখের দৃষ্টি ভয়ংকর, চোখের নিচে কালি, গায়ে একটা ময়লা টি শার্ট এবং তার থেকেও ময়লা একটা জিন্স। মানুষটার পিছু পিছু ম্যানেজারের বুড়ো স্ত্রী বের হয়ে এলো, ঠোঁটের কাছে কেটে রক্ত বের হচ্ছে। ম্যানেজার ভয়ংকর রেগে চিৎকার করে বলল, "ডেভিড! তোমার এতো বড় সাহস? তোমার মায়ের গায়ে তুমি হাত তুলেছ?"

ডেভিড নামের মানুষটা অত্যন্ত কুৎসিত একটা গালি দিয়ে বলল, "ওই বুড়ী আমার মা তোমাকে কে বলেছে?"

"তুমি কী বলতে চাও?"

"আমাকে একশ ডলার দাও আমি চলে যাচ্ছি।"

"একশ ডলার কেন, তোমাকে আমি একশ পেনিও দেবো না—"

ম্যানেজারের কথা শেষ হবার আগেই মানুষটা ম্যানেজারকে ধাক্কা দিয়ে সরিয়ে তার ডেস্কের ড্রয়ারটা খুলে হাতড়াতে থাকে, কাগজপত্র চেক বের করে ছড়িয়ে ছিটিয়ে দিয়ে নেয়ার মতো কোনো কিছু না পেয়ে মানুষটা আবার ভয়ংকর কুৎসিত একটা গালি দিয়ে ডেস্কটাতে একটা লাথি মেরে বসে। বৃদ্ধ ম্যানেজার চিৎকার করে বলল, "ডেভিড! তুমি এই মুহূর্তে এখান থেকে বের হও। না হয় আমি পুলিশকে ডাকব।"

ডেভিড মুখ ভ্যাংচে বলল, "তোমার পুলিশের ভয়ে আমি মরে যাচ্ছি! নিজের ছেলেকে পুলিশে দিতে তোমার লজ্জা লাগে না?"

ম্যানেজার হিংস্র মুখে বলল, "তুমি আমার ছেলে না। আমি তোমার মুখ দেখতে চাই না। দূর হও তুমি—"

ম্যানেজারের বৃদ্ধ স্ত্রী মুখ ঢেকে হঠাৎ হাউমাউ করে কেঁদে উঠল। গোলমাল শুনে আমার মতো আরো অনেকে তখন ভিড় জমিয়েছে, ডেভিড আমাদের সবার দিকে তাকিয়ে আবার একটা কুৎসিত গালি দিয়ে লাথি দিয়ে দরজা খুলে বের হয়ে গেলো। আমি দেখলাম বিড়বিড় করে গালি দিতে দিতে ডেভিড রাস্তা ধরে এগিয়ে যাচ্ছে।

ম্যানেজার তার স্ত্রী দিকে তাকিয়ে বলল, "সোনা, তোমার বেশি ব্যথা লেগেছে? হাসপাতালে নিতে হবে?"

স্ত্রী মাথা নেড়ে ব্যস্ত হয়ে বলল, "না—না— হাসপাতালে নিতে হবে না।"

এপার্টমেন্টের যেসব বোর্ডাররা দাঁড়িয়েছিল তাদের একজন বলল, "তোমার ছেলের চিকিৎসা না করালে কিন্তু অবস্থা আরো খারাপ হবে।"

ম্যানেজার দুর্বল গলায় বলল, "জানি। কিন্তু রাজি করাতে পারি না।"

"ড্রাগ এডিক্ট নিজে থেকে রাজি হয় না। জোর করতে হয়।"

ম্যানেজার শুকনো গলায় বলল, "এই ছেলে এখন খুব ভয়ংকর হয়ে গেছে। ড্রাগের টাকার জন্যে এখন সে খুন জখম করে ফেলবে।"

ম্যানেজারের স্ত্রী আবার হাউমাউ করে কেঁদে বলল, "আমার ছেলেটা কেমন করে ড্রাগ খাওয়া শিখে গেলো? কেমন করে শিখলো?"

আমরা মোটামুটি নিঃশব্দে দাঁড়িয়ে রইলাম।

দেখতে দেখতে ক্যালটেকের জীবনে আমরা বেশ অভ্যস্ত হয়ে গেলাম, গ্রীষ্মের শুরুতে এসেছিলাম, গ্রীষ্ম শেষ হয়ে শরৎ এসেছে, শরৎও শেষ হতে যাচ্ছে। প্যাসাডিনা ক্যালিফোরনিয়ার দক্ষিণে, মরুভূমির কাছে, খুব চমৎকার আবহাওয়া, শীতকাল আসছে কিন্তু সে রকম ঠাণ্ডা নেই। অক্টোবরের একত্রিশ তারিখ ঐ দেশে হলোউইনের রাত্রি বলা হয়ে থাকে— সব মৃত আত্মা সেদিন পৃথিবীতে ফিরে আসে। ব্যাপারটা অবশ্যি যেটুকু ভৌতিক তার থেকে অনেক বেশি ফুর্তির। সব বাচ্চা-কাচ্চা ভূত সেজে বাড়ি বাড়ি ঘুরে বেড়ায়, সবাইকে সেদিন চকলেট লজেন্স দেবার কথা। সন্ধেবেলা মজা দেখার জন্যে আমরা বাসা থেকে বের হয়েছি, ফিরে এসেছি বেশ রাত্রে। দরজা খুলে ঢোকার সাথে সাথে শুনতে পেলাম বাসার ভেতরে কিছু একটা শব্দ হচ্ছে। ঘরে ঢুকে হতবাক হয়ে গেলাম, জিশানের জন্যে একটা ছোট খেলনা ট্রেন কিনেছিলাম, সেটা বসার ঘরে সাজিয়ে রেখে গিয়েছি, সেটা নিজে থেকেই চুচু শব্দ করে চলছে। শুধু তাই নয়, ঘরের ঠিক মাঝখানে একটা বই খুলে কেউ সাজিয়ে রেখেছে।

হাতে নিয়ে দেখি একটা ভৌতিক গল্পের সংকলন, আমাদের বসার ঘরে শেলফে রাখা ছিল। আমি শিরীনের দিকে তাকালাম, শিরীন আমার দিকে তাকালো— হলোউইনের রাতে আমাদের বাসার অদৃশ্য অধিবাসী আমাদের সাথে একটু কৌতুক করেছে!

আমরা আমাদের বাসার অদৃশ্য অধিবাসীর সাথে অভ্যস্ত হয়ে গেলেও আমাদের বাসায় যে সব অতিথিরা আসতো তারা কিন্তু মোটেও এতে অভ্যস্ত হতো না। একবার শিরীনের এক দূর সম্পর্কের ভাই বেড়াতে এলেন, প্যাসাডিনা শহর লস এঞ্জেলসের কাছে, এই এলাকায় এলে সবাই লস এঞ্জেলস শহরে ডিজনীল্যান্ড দেখে যায়, কাজেই এই ভদ্রলোককেও আমাদের জিডনীল্যান্ড দেখিয়ে আনতে হলো। অনেক রাত্রে ফিরে এসে শুয়েছি। গভীর রাতে ভয়ংকর আর্ত চিৎকার শুনে আমরা লাফিয়ে উঠলাম। ছুটে বাইরের ঘরে গিয়ে দেখি ভদ্রলোক দুই হাত দুই পা ভাঁজ করে বিছানায় বসে থরথর করে কাঁপছেন। আমি জিজ্ঞেস করলাম, "কী হয়েছে?"

প্রথমে ভদ্রলোক কথাই বলতে পারেন না, মুখে পানির ঝাপটা দিয়ে তাকে ধাতস্থ করতে হলো। একটু শান্ত হয়ে বললেন, রাত্রে হঠাৎ করে ঘুম ভেঙ্গে গেছে তখন শুনতে পেলেন কেউ যেন দরজা খুলে হাঁটছে, তারপর চেয়ার টানার শব্দ শুনতে পেলেন। প্রথমে ভেবেছিলেন আমরা কেউ, তাই বেশি গা করেন নি। তারপর শুনতে পেলেন পায়ের শব্দ তার ঘর পর্যন্ত এসছে, তখন তিনি হঠাৎ চোখ খুলে তাকালেন। তাকাতেই দেখেন মাটি থেকে একেবারে ঘরের ছাদ পর্যন্ত একটা মূর্তি, তার দিকে তাকিয়ে আছে। চোখ দুটো ছোট ছোট লাল আগুনের মতো জ্বলছে। সেটি দেখেই তিনি এরকম ভয়ংকর চিৎকার দিয়েছেন। আমরা সাথে সাথে ব্যাপারটা বুঝে গেছি কিন্তু এই রাতে তাকে সেটা বলা ঠিক হবে বলে মনে হলো না। কোনো রকমে একটু সাহস দিয়ে তাকে ধাতস্থ করলাম। ভদ্রলোক আর ঘুমালেন না, সারারাত জেগে বসে রইলেন এবং সকাল হতেই তার ব্যাগ স্যুটকেস নিয়ে একটা হোটেলে চলে গেলেন। যাবার আগে বলে গেলেন আমরা যেন এখনই এই বাড়ি ছেড়ে চলে যাই। এটা মানুষের বাসা নয় এটা পিশাচের বাসা।

শুধু যে এই ভদ্রলোকের বেলায় এরকম হলো তা নয়, যারাই আমাদের বাসায় আসতো তারাই ভয় পেতো। আমাদের দূর সম্পর্কের এক ভাবী একটা কনফারেন্সে এসে আমাদের বাসায় রাত কাটাতে এসেছেন। গভীর রাতে পানি

খাবার জন্যে রান্নাঘরে গিয়ে দেখেন সেখানে চেয়ারে একজন মানুষ বসে আছে, মাথার অর্ধেক কীভাবে থ্যাতলে গেছে সারা মুখ রক্তে মাখামাখি। ভাবী তখন রক্ত শীতল করা যা একটা চিৎকার দিলেন তার কোনো তুলনা নেই। আমার আরেক বন্ধু বাসায় বেড়াতে এসেও সেই একই অবস্থা, গভীর রাতে বাথরুমে গিয়ে দেখে বাথটাবে গুটিশুটি মেরে একজন শুয়ে আছে, মুখের অর্ধেক পুড়ে ঝলসে গিয়ে একটা চোখ বের হয়ে গেছে! তাদের কেউই এক রাতের বেশি থাকতে পারে নি— এবং আমরা কীভাবে দিনের পর দিন এই বাসায় আছি সেটা নিয়ে বিস্ময় এবং আতংক প্রকাশ করে গেছে।

আমরা কিন্তু কখনোই ভয়ের কিছু দেখি নি— জিশান মাঝেমধ্যে কিছু একটা দেখতে পায় বলে টের পাই, কিন্তু তার মাঝে ভয়ের কিছু নেই। মাঝে মাঝে আমাদের বেশ অস্বস্তিই হয় যখন মনে হয় তার সাথে এই অশরীরী প্রাণীর এক ধরনের বন্ধুত্ব হয়ে আছে। ব্যাপারটা একদিন খুব স্পষ্টভাবে বোঝা গেলো।

আমি সেদিন ক্যালটেকে কাজ করছি, নূতন যে এক্সপেরিমেন্টটা দাঁড় করিয়েছি তার ইলেকট্রনিক্সটা পরীক্ষা করা হচ্ছে, তখন টেলিফোন বাজল। টেলিফোন করেছে শিরীন, হিস্টিরিয়াগ্রস্তের মতো চিৎকার করছে। আমি ভয় পেয়ে জিজ্ঞেস করলাম, "কী হয়েছে?"

সে কোনো কথা বলতে পারে না, শুধু চিৎকার করে কাঁদে। আমি কোনোমতে ছুটতে ছুটতে বাসায় এসেছি, এসে দেখি বাসার সামনে কয়েকটা পুলিশের গাড়ি আর এ্যাম্বুলেন্স। বাসার দরজায় বেশ কয়জন পুলিশ, তাদের ঠেলে আমি ভিতরে ঢুকেছি। ঘরের ভেতরে সোফায় শিরীন জিশানকে কোলে নিয়ে বসে আছে। জিশান চোখ বড় বড় করে দেখছে কিন্তু শিরীন হাউমাউ করে কাঁদছে। আমাকে দেখে ছুটে এসে আমাকে ধরে আরো জোরে চিৎকার করে কাঁদতে লাগলো। আমি তখনও কিছু বুঝতে পারছি না, শিরীন আর জিশানের কিছু হয় নি এটুকু বুঝতে পেরে আপাতত জানে পানি এসেছে।

পাহাড়ের মতো বড় একজন পুলিশ আমাকে বলল, "তুমি তোমার স্ত্রীকে শান্ত করো। তাকে বলো তার কোনো ভয় নেই। সে যেটা করেছে সেল্ফ ডিফেন্সে করেছে—"

আমি অবাক হয়ে বললাম, "কী করেছে?"

"একজন ড্রাগ এডিক্ট আর্মস নিয়ে ঢুকেছিল তাকে এমনভাবে মেরেছে যে তার উঠার ক্ষমতা নেই।"

আমি হতচকিত হয়ে পুলিশ অফিসারের দিকে তাকালাম। বলে কী মানুষটা! শিরীন একজনকে মেরেছে? যে একটা তেলাপোকা মারার জন্যে আমাকে অফিস থেকে ডেকে আনে? পুলিশ অফিসার বলল, "এই মানুষটার কথা আমরা জানি। তোমাদের এপার্টমেন্ট কমপ্লেক্সের ম্যানেজারের ছেলে। নাম ডেভিড।"

আমি কয়েকবার চেষ্টা করে বললাম, "ডেভিডকে শিরীন মেরেছে?"

"তোমার স্ত্রী বলছে সে মারে নি। কিন্তু সে ছাড়া তো আর কেউ ছিল না। এমনভাবে মেরেছে যে না দেখলে বিশ্বাস করবে না—"

পুলিশ এবং এ্যাম্বুলেন্স যাবার পর এবং অনেক চেষ্টা করে শিরীনকে শান্ত করার পর আসল ঘটনা তার কাছে শুনতে পেলাম।

দুপুর দুটোর মতো বাজে। জিশান খেয়েদেয়ে এই সময়টাতে একটু ঘুমায়। শিরীন রান্নাঘরের টুকটাক কাজ শেষ করে মাত্র সোফায় বসে টেলিভিশনটার সুইচ অন করেছে তখন হঠাৎ দরজায় শব্দ হলো। শিরীন মনে করেছে আমি এসেছি, মাঝে মাঝে এরকম সময়ে হঠাৎ করে আমি খেতে চলে আসি। দরজা খুলে দেখে একুশ বাইশ বছরের একজন মানুষ, সোনালী চুল, নীল চোখ এবং নিষ্ঠুর চেহারা। শিরীন যদিও আগে কখনো ডেভিডকে দেখে নি কিন্তু আমার কাছে এর গল্প শুনেছে কাজেই দেখেই একে চিনতে পারল এবং ভয়ে তার আত্মা শুকিয়ে গেলো। শিরীন আবার দরজা বন্ধ করে ফেলতে চেয়েছিল কিন্ত ডেভিড দরজা ঠেলে শিরীনকে ধাক্কা দিয়ে ভিতরে ঢুকে গেলো। শিরীন কিছু বলার আগেই দেখে ডেভিডের হাতে একটা চাকু, কোথায় চাপ দিতেই শর শর শব্দ করে চাকুর লম্বা ফলাটা বের হয়ে আসে। ডেভিড শিরীনের গলায় চাকুটা ধরে বলল, "একটা কথা বলেছ তো গলা দুই ভাগ করে দেবো।"

শিরীন কোনো কথা বলল না, তার কথা বলার মতো অবস্থাও তখন নেই। ডেভিড তখন বলল, "টাকা-পয়সা যা আছে দাও।"

শিরীন কোনো কথা না বলে ব্যাগে যে কয়টা ডলার ছিল তার হাতে তুলে দিলো। বাসায় টাকা-পয়সা বেশি থাকে না কাজেই ডেভিডের পরিমাণটা পছন্দ হলো না তখন চাকু দিয়ে গলায় খোঁচা দিয়ে কিছুক্ষণ তাকে কুৎসিৎ ভাষায় গালাগালি করল। তারপর বললো, "তোমরা ইন্ডিয়ানরা অনেক সোনার গয়না পর। তোমার গয়না দাও।"

শিরীন এমনিতেই খুব নিরীহ শান্তশিষ্ট মেয়ে, এ ধরনের ঘটনা দেখা দূরে থাকুক, এর আগে কেউ কখনো তার সাথে গলা উঁচু করে কথা বলে নি। সে

একেবারেই ভেঙ্গে পড়লো, হাউমাউ করে কাঁদতে কাঁদতে বলল, তার কাছে কোনো গয়না নেই। আসলেই শিরীনের শাড়ি গয়নার শখ নেই, তার কাছে এসব কিছু নেই।

ডেভিড তার কথা বিশ্বাস করল না, তখন তার চুল ধরে হ্যাঁচকা টান দিয়ে তাকে নিচে ফেলে দিল। সেই শব্দে জিশানের ঘুম ভেঙ্গে গেলো, এবং দুই বছরের বাচ্চার এরকম সময়ে যা করার কথা তাই করলো— সে জেগে উঠে তারস্বরে চিৎকার করতে শুরু করল।

ডেভিড তখন কেমন জানি খেপে যায়, সে জিশানকে তুলে তার গলায় চাকুটা ধরে শিরীনকে হিংস্র গলায় বলল, "এই মুহূর্তে তোমার যত গয়না আছে দাও, তা না হলে তোমার ছেলের গলা আমি দুভাগ করে দেব।"

ভয়ে শিরীন তখন অপ্রকৃতস্থের মতো হয়ে গেছে, হাত জোড় করে কাতর গলায় চিৎকার করে কাঁদতে শুরু করেছে। ভয়ে তার মাথার ঠিক নেই সম্ভবত জিশানকে বাঁচানোর জন্যে ডেভিডকে গিয়ে খামচে ধরে, ফেলেছে, হঠাৎ সে একটা বিচিত্র দৃশ্য দেখতে পায়। সে দেখে বাসার ছাদ পর্যন্ত লম্বা একটা মানুষ। তার মাথার একটা পাশ থেতলে গেছে, মুখের একটা অংশ পোড়া এবং একটা চোখ বের হয়ে আছে। মানুষটা নিঃশব্দে ডেভিডের পিছনে এসে দাঁড়িয়েছে বলে ডেভিড তাকে দেখতে পায় নি। মানুষটা ডেভিডের চুল ধরে তাকে হ্যাঁচকা টান দিয়ে পিছনে নিয়ে এলো, ডেভিড পড়ে যেতে যেতে কোনোমতো নিজেকে সামলে নেয়— হাত থেকে জিশান পড়ে যাচ্ছিল শিরীন ছুটে গিয়ে তাকে ধরে ফেলল।

ডেভিড অবাক হয়ে পিছনে তাকালো, তখন সেই ছাদ সমান উঁচু থেতলে যাওয়া মুখের মানুষটচা তার হাত উপরে তুলে প্রচণ্ড জোরে ডেভিডের মুখে মারলো। কট করে শব্দ করে ডেভিডের ঘাড় ঘুরে যায়, একটা দাঁত ভেঙ্গে তার মুখ থেকে রক্ত বের হয়ে আসে। হাঁটু ভেঙ্গে সে কাটা কলাগাছের মতো নিচে পড়ে গেলো। মূর্তিটা তখন আরেকটু এগিয়ে আসে তারপর ডেভিডকে গায়ের জোরে একটা লাথি মারে, ডেভিডের পুরো শরীরটা তখন প্রায় উড়ে গিয়ে বইয়ের শেলফে লাগলো, পুরো শেলফসহ ডেভিড আছাড় খেয়ে পড়ল। শিরীন এরপরে আর থাকার সাহস পায় নি, ভয়ে চিৎকার করতে করতে জিশানকে বুকে চেপে ঘর থেকে বের হয়ে এসেছে। ছুটে বের হতে হতে সে শুনতে পেলো মূর্তিটা ডেভিডকে আবার একটা লাথি মেরে ঘরের অন্য দেওয়ালে নিয়ে ফেলেছে।

শিরীনের চিৎকার আর কান্না শুনে অন্যেরা ছুটে এসে পুলিশ আর এ্যাম্বুলেন্সে খবর দিয়েছে! ডেভিডকে যখন উদ্ধার করা হয়েছে তখন তার মুখের উপরের পাটির সামনের দুইটা দাঁত ভেঙ্গে গেছে। নাকের হাড় ভেঙ্গে গলগল করে রক্ত বের হচ্ছে। পাঁজরের হাড়ও ভেঙ্গেছে বেশ কয়েকটা, একটা ভেঙ্গে ফুসফুসে ঢুকে খুব মারাত্মক অবস্থা করে ফেলেছে। লোকটা যে বেঁচে গিয়েছিল সেটাই তার বড় সৌভাগ্য।

গল্পের এই পর্যায়ে ভদ্রলোক থামলেন, পকেট থেকে পানের বাটা বের করে পান সুপুরি দিয়ে যত্ন করে একটা পানের খিলি তৈরি করে মুখে দিয়ে বললেন, "পরে খোঁজ নিয়ে জেনেছিলাম এই বাসার মালিক ভূমিকম্পের সময় মারা গিয়েছিল। ফায়ারপ্লেসের সামনে বসেছিল, চিমনি ভেঙ্গে তার উপরে পড়ে মাথাটা থেতলে গেলো। সেই থেকে এই বাসাতেই আছে, বাসা পাহারা দিচ্ছে!"

আমি মাথা নাড়লাম, বললাম, "খুব ইন্টারেস্টিং গল্প!"

ভদ্রলোক আমার দিকে তাকিয়ে ভুরু কুঁচকে বললেন, "আমার গল্প বিশ্বাস হলো না? দাঁড়ান তাহলে আমার বউকে ডাকি— আপনি নিজে জিজ্ঞেস করে দেখেন।"

এরকম সময়ে দেখতে পেলাম বাসার মালিক আমাদের দিকে আসছেন, আমাকে দেখে বললেন, "তুমি এখানে? তোমাকে আমি সারা বাসায় খুঁজে বেড়াচ্ছি। তোমাকে বাসাটা দেখানো হয় নি— এসো আমার সাথে।"

আমার যে বাসাটা দেখার খুব সখ ছিলো তা নয়, কিন্তু উঠে তার সাথে যেতে হলো। বাসার মালিক হাঁটতে হাঁটতে বললেন, "এতো বড় বাসা দেখে রাখাই মুশকিল। আমার কী মনে হয় জান?"

"কী?"

"বেঁচে থাকতে তো এই বাসা দেখে রাখতেই হচ্ছে, মরে গেলেও আমাকে এই বাসা দেখে রাখতে হবে!"

আমি হঠাৎ পান খাওয়া ভদ্রলোকের উচ্চস্বরে হাসির শব্দ শুনতে পেলাম।

বদরুল মামা

এই গল্পটি বিশ্বাস করার কোন প্রয়োজন নেই, কারণ এই গল্পটি আমি যার কাছে শুনেছি তার কোন গল্পই আমি বিশ্বাস করি না। সম্পর্কে তিনি আমার মামা, আমরা তাকে বদরুল মামা বলে ডাকি। আসলেই কোন সম্পর্ক আছে নাকী গ্রাম সূত্রে মামা সেটাও আমি ঠিক করে জানি না। বদরুল মামার সবকিছু বাড়িয়ে বলা অভ্যাস, একবার মাছ ধরতে গিয়ে আধহাত একটা রুই মাছের বাচ্চা ধরে আনলেন কিন্তু যে মাছটা ধরতে পারেন নি, সূতা ছিড়ে পালিয়ে গেছে সারাক্ষণই সেই মাছটার এমন বর্ণনা দিতে লাগলেন যে শুনলে মনে হবে ভুল করে একটা তিমি মাছ এই নদীতে চলে এসেছিল। আরেকবার ঢাকায় এসে রিক্সা থেকে পড়ে গিয়ে হাটুর ছাল তুলে ফেললেন, গ্রামে ফিরে গিয়ে সেই একসিডেন্টের এমন রোমহর্ষক বর্ণনা দিলেন যে যারা শুনলো সবার ধারণা হলো তিনি ভয়ংকর একসিডেন্টে একেবারে মৃত্যুর হাত থেকে ফিরে এসেছেন। কিছুদিন আগে তার বাসায় চোর ঢুকে কিছু পুরানো জামা কাপড় নিয়ে পালিয়ে গেলো, কিন্তু তার গল্প শুনলে মনে হবে যে চোর নয় বুঝি মেশিনগান নিয়ে ডাকাতের দল চলে এসেছিল।

কাজেই এই বদরুল মামার কাছে আমি যে ভূতের গল্প শুনেছি তার ভিতরে বিশ্বাসযোগ্য অংশ আছে আমি একেবারেই দাবী করব না। তবে গল্পটা ভাল সেটা দশজনকে বলা যায়।

গল্পটি পুরানো দিনের, যখন আমাদের দেশের খালে বিলে শীতকালে অসংখ্য পাখি এসে নামতো এবং লোকজন নিঃসংকোচে সেই পাখি শিকার করতো। জ্যোৎস্না রাতে বিলে গিয়ে দশ বিশটা সাইবেরিয়ান হাঁস গুলি করে

মেরে ফেললেও সেই খবর পত্রিকায় ছাপা হতো না, সম্পাদকীয়রা অতিথি পাখি হত্যাকাণ্ডের উপর সম্পাদকীয় লিখতেন না, এবং থানা থেকে পুলিশ পাখি মারার জন্যে মামলা করে টাকা কামাই করার চেষ্টা করতো না। সেই যুগে দশ বিশ গ্রামের ভিতরে এক দুইজনের বন্দুক থাকতো এবং সেটাকে একটা সম্মানের বিষয় হিসেবে বিবেচনা করা হতো। তখন রেডিও টেলিভিশন ছিল না, বিজ্ঞান নিয়ে কেউ এতো মাথা ঘামাতো না, ভূত বলে কিছু নেই সেটাও এতো জোর গলায় কেউ বলতো না। অন্ধকার রাতে কেউ যদি একটা ভূতের গল্প ফেঁদে বসতো তার ডিটেলস নিয়ে কেউ প্রশ্ন তুলতো না, গল্প শেষ হবার পর কেউ মুচকি হাসতো না— যেখানে ভয় পাওয়ার কথা সেখানে নিয়ম মেনে ভয় পেতো!

কাজেই বদরুল মামার গল্পের খুটি-নাটি নিয়ে কারো প্রশ্ন থাকলে তার এই গল্পটি পড়ার কোন প্রয়োজন নেই। তার কারণ গল্পটি এরকম, তার নিজের ভাষায় :

সেবার শীতে বিলে প্রচুর পাখি পড়েছে, আমাদের বাড়ির কামলা আলাউদ্দিন মাছ মারতে গিয়ে খবর এনেছে শেষ রাতে বৈঠা দিয়ে পানিতে মেরে বসলেই নাকি দুই চারটা পাখি মেরে ফেলা যায়। যদি ছররা গুলির টোটা সহ একটা বন্দুক নিয়ে যাওয়া যায় তাহলে এক গুলিতে যে কয়টা ছররা সেই কয়টা পাখি মারা যাবে। আমার বয়স কম, পাখি শিকারের গল্প শুনে রক্ত চনমন করে উঠে। তবে সমস্যা একটাই, বাড়িতে বন্দুক একটা এবং সেটা বাবার সরাসরি তত্ত্বাবধানে থাকে। বাবা ছাড়া সেই বন্দুক আর কেউ ধরেছে সেরকম নজীর নেই। এই যুগে ছেলে পিলেরা দেখি বাবার গলা ধরে হাঁটাহাঁটি করে, আমাদের যুগে সেটা ছিল চিন্তার বাইরে। বাবাকে কিছু বলতে হলে মায়ের মাধ্যমে বলেছি— সরাসরি বাবাকে কিছু বলার প্রশ্নই আসে না। তার উপর পাখি শিকারে যাবার জন্যে বন্দুক চাওয়া— তার চাইতে গুলি করে মেরে ফেলার জন্যে বন্দুক ব্যবহার করার অনুমতি চাওয়া সোজা!

কাজেই প্রত্যেকদিন পাখির খবর শুনি আর ছটফট করি। এর মাঝে অভাবিত ভাবে একদিন সুযোগ চলে এলো— শুনতে পেলাম জলমহাল নিয়ে মামলার তারিখ পড়েছে, বাবাকে সদরে যেতে হবে। যে সময়ের কথা বলছি সেই সময়ে সদরে যাওয়া এবং আসা চারদিনের ধাক্কা— তার উপর মামলার জন্যে দুই দিন, কাজেই প্রায় পুরো সপ্তাহটাই বাবা থাকবেন না। তার ভিতরে অন্তত একদিন দোনলা বন্দুকটা ম্যানেজ করা যাবে না সেটা তো হতে পারে না!

কাজেই বাবা সদরে যাবার পরের দিনই পরিকল্পনা পাকা করে ফেললাম, আলাউদ্দিনকে বলে রাখলাম ভোর রাতে আমাকে ডেকে তুলবে, দুইজনে নৌকা করে যাব বিলে। সূর্য ওঠার আগে যে কয়টা পারি পাখি শিকার করা হবে। আলাউদ্দিন রাজী হলো। এমনিতেই আমি ভেতর বাড়িতে ঘুমাই, সেই রাতের জন্যে বাংলা ঘরে ঘুমালাম। মাকে ফাঁকি দিয়ে চাবি ম্যানেজ করে বন্দুকটা আগেই সরিয়ে রেখেছি।

রাত্রি বেলা সকাল সকাল খেয়ে শুয়ে পড়েছি। সেই বছর ঠাণ্ডাও পড়েছে বেশ, এক লেপ দিয়ে শীত মানে না। পাখি শিকারের উত্তেজনায় চোখে ঘুম আসে না, বিছানায় ছটফট করে এক সময় ঘুমিয়ে পড়লাম। সবে চোখ বন্ধ করেছি মনে হলো তার মাঝেই আলাউদ্দিন এসে দরজায় ধাক্কা দিলো। আমি লেপ থেকে মাথা বের করে জিজ্ঞেস করলাম, "কে? আলাউদ্দিন নাকি?"

আলাউদ্দিন বাইরে থেকে বলল, "উঁ।"

"এতো সকাল সকাল চলে এসেছিস, ব্যাপারটা কী?"

উত্তরে আলাউদ্দিন কিছু একটা বললো, আমি সেটা ঠিক ধরতে পারলাম না। যে যুগের কথা বলছি সেই যুগে ঘড়ির চল ছিল না, দিনে সূর্য রাতে চাঁদ থেকে সময় ঠিক করতে হতো— মনে করলাম হয়তো আসলেই শেষ রাত হয়ে এসেছে।

আমি ঘুম থেকে উঠে হারিকেনের সলতে উসকে দিয়ে আলাউদ্দিনকে ডেকে বললাম, "আয়, ভেতরে আয়। আমি ততক্ষণ কাপড় পরি।"

কোন একটা কারণে আলাউদ্দিন ভিতরে ঢুকতে চাইলো না। চাদরে মুড়ি দিয়ে বারান্দায় বসে রইলো, আমি আর তাকে জোর করলাম না। ফ্লানেলের সার্ট, উপরে ডাবল সোয়েটার, গলায় মাফলার, মাথায় মাংকি ক্যাপ, পায়ে ক্যাম্বিসের জুতো তার উপরে একটা কাশ্মিরী শাল চাপিয়ে বের হলাম। এক হাতে বন্দুক অন্য হাতে একটা ব্যাগ, ব্যাগের ভেতরে টোটা, পাখি জবাই করার জন্যে একটা চাকু। শুক্লপক্ষের রাত, তিনদিন পর জ্যোৎস্না— এখনই আকাশে বেশ বড় চাঁদ। তবে খুব কুয়াশা পড়েছে, চাঁদের আলোতে কুয়াশার ভেতরে জ্যোৎস্নাকে কেমন যেন অপার্থিব দেখায়। আমি আলাউদ্দিনকে বললাম, "চল।"

আলাউদ্দিন উঠে দাঁড়িয়ে হাঁটতে শুরু করল। আমাদের বাড়ি থেকে আধমাইল দূরে খালের মুখে নৌকা বাঁধা থাকে আমরা সেদিকে হাঁটতে শুরু করেছি। কুয়াশায় রাস্তাঘাট দেখা যায় না, নেহায়েৎ চেনা রাস্তা তাই যেতে

পারছি। আলাউদ্দিন সামনে সামনে হাঁটছে, আমি পিছনে। চারিদিকে সুনসান নীরবতা, মানুষজন নেই, রাস্তার দুপাশে গাছের পাতা থেকে টুপটাপ করে কুয়াশার পানি পড়ছে। কেমন যেন ভয় ভয় আবহাওয়া আমি যতই হেঁটে আলাউদ্দিনের কাছে যেতে চাই আলাউদ্দিন ততই সামনে এগিয়ে যায়। কুয়াশায় তাকে ভাল দেখাও যায় না শুধু বোঝা যায় অন্ধকারে কেউ একজন আছে। এই ভোর রাতেই হাঁটতে হাঁটতে আমার শরীর গরম হয়ে গেলো, কাশ্মিরী শাল আর ডাবল সোয়েটারের নিচে রীতিমত ঘেমে গেলাম।

খালের মুখে এসে আলাউদ্দিন থামলো, বেশ কয়েকটা নৌকা বাঁধা আছে। আমি আমাদের নৌকাটা খুঁজে বের করলাম ছোট ছিপ নৌকা। আমি উঠে গলুইয়ের কাছে বসেছি, আলাউদ্দিন তখন নৌকাটাকে ধাক্কা দিয়ে পানিতে ঠেলে দিয়ে সেখানে উঠে বসল। এমনিতে আলাউদ্দিন বেশ কথাবার্তা বলে, কোন একটা কারণে আজকে বেশ চুপচাপ। যেভাবে চাদর মুড়ি দিয়েছে ভাল করে তার চেহারাও দেখা যাচ্ছে না। আমি বললাম, "দেখেছিস আলাউদ্দিন, কেমন ঠাণ্ডা পড়েছে?"

আলাউদ্দিন মাথা নেড়ে বলল, "হুঁ।"

আমি হাত দুটো ঘসে শরীর গরম করার চেষ্টা করতে লাগলাম, আলাউদ্দিন বৈঠা চালিয়ে নৌকা এগিয়ে নিয়ে যেতে থাকে। পানিতে বৈঠার ছলাৎ ছলাৎ শব্দ ছাড়া আর কোন শব্দ নেই। আকাশে চাঁদ উঠেছে, কুয়াশায় সেই চাঁদ ভাল করে দেখা যায় না— শুধু নরম আলোটা ছড়িয়ে পড়েছে। আলাউদ্দিন নৌকার অন্য মাথায় বসে আছে তাকেও ভাল দেখা যায় না। এই কুয়াশায় বিলে যেতে পারবে তো? আমি জিজ্ঞেস করলাম, "কোন দিকে যেতে হবে জানিস তো, আলাউদ্দিন?"

আলাউদ্দিন বলল, "হুঁ।"

এ দেখি মহা যন্ত্রণা হলো, হাঁ এবং হুঁ ছাড়া সে আর কোন কথা বলছে না। মনে হয় এই ভোর রাতে জোর করে ধরে নিয়ে এসেছি বলে আমার উপরে একটু রাগ হয়েছে। বাড়ির কামলা, কিছু করতে বললে নাও করতে পারে না, মুখ বুঁজে করতে হয়। এই শীতের রাতে কোথায় কাঁথা মুড়ি দিয়ে ঘুমাবে তা নয় আমার সাথে কনকনে শীতে কুয়াশার মাঝে বিলের পানিতে রওনা দিতে হচ্ছে! আমি আর তাকে ঘাটালাম না।

ঘন্টাখানেক পরে আমরা বিলের কাছে পৌঁছালাম। কুয়াশাটা আরো চেপে বসেছে ভাল করে কিছু দেখাও যায় না। নৌকা যাবার সময় মাঝে মাঝেই

আশে পাশে পাখির শব্দ শুনি কিন্তু পাখিকে দেখতে পাই না। পাখি যদি দেখতে না পাই গুলি করব কেমন করে? এরকম কুয়াশা হবে কে জানত? আমি বললাম, "আলাউদ্দিন, বিলের মাঝখানে চরের মতো একটা জায়গা আছে না?"

আলাউদ্দিন বলল, "হুঁ।"

"সেইখানে নিয়ে চল। চরে নিশ্চয়ই পাখি পড়েছে।"

আলাউদ্দিন নৌকা ঘুরিয়ে বৈঠা চালাতে থাকে, এই কুয়াশার ভেতরে কোনদিকে যেতে হবে সে কেমন করে বুঝতে পারে কে জানে। কিছুক্ষনের মাঝে দেখি বড় বড় ঘাস, তার ভেতর দিয়ে শর শর করে আমাদের নৌকা ডাঙ্গার দিকে এগিয়ে গেলো, ডাঙ্গার কাছে গিয়ে আলাউদ্দিন নৌকাটাকে লগি দিয়ে আটকে রাখে, আমি সাবধানে নেমে আসি। কুয়াশার ভেতর দিয়ে আমি হেঁটে যেতে যেতে আবিস্কার করি শত শত বুনো হাসে পুরো চরটা ছেয়ে আছে। আমি নিঃশব্দে এগিয়ে গেলাম, ভালো একটা জায়গা বেছে নিয়ে বন্দুকে টোটা ভরে পাখির দিকে তাক করে গুলি করলাম। গুলির প্রচন্ড শব্দে পুরো চর প্রকম্পিত হয়ে উঠল, সাথে সাথে হাজার হাজার লক্ষ লক্ষ বুনোহাঁস কলরব করতে করতে আকাশে উড়ে যায়। পাখা ঝাপটিয়ে তারা একদিক থেকে অন্যদিকে উড়তে থাকে, আমি বন্দুক উচিয়ে দ্বিতীয়বার গুলি করলাম, সাথে সাথে ঝুপ ঝুপ শব্দে অনেকগুলো বুনো হাঁস চরের ভেতর, বিলের ভিতরে এসে পড়ল।

আমি আমার জীবনে এতগুলো বুনো হাঁস একসাথে দেখি নি, সেগুলো রাতের আকাশে কর্কশ শব্দ করে ডানা ঝাপটিয়ে উড়তে থাকে— প্রায় অনেকক্ষণ সময় নিয়ে সেগুলো আবার নিরাপদ জায়গায় গিয়ে বসলো। এখন আমার গুলি খাওয়া হাঁসগুলো তুলতে হবে, জবাই করে রাখতে হবে। আমি সামনে এগিয়ে যাচ্ছিলাম— ঠিক তখন শুনতে পেলাম কে যেন কাঁদছে।

ভয়ে আমার বুক ধ্বক করে উঠে! বিলের মাঝে এই নির্জন চরে কে কাঁদছে? আমি কী ভুল শুনছি? আমি নিঃশ্বাস বন্ধ করে শোনার চেষ্টা করলাম, সত্যিই কান্নার শব্দ। একজন মেয়ে মানুষ কাঁদছে, ইনিয়ে বিনিয়ে কান্না। আমি কী তাহলে অন্ধকারে কোন মানুষকে গুলি করে ফেলেছি? কোন মানুষকে মেরে ফেলেছি?

আমি ভয় পাওয়া গলায় ডাকলাম, "আলাউদ্দিন।"

আলাউদ্দিন কোন উত্তর দিল না, আমি আবার চিৎকার করে ডাকলাম, "আলাউদ্দিন? তুই কই?"

এবারেও কেউ উত্তর দিল না, কিন্তু হঠাৎ করে কান্নার শব্দটা থেমে গেলো। আমি কী করব বুঝতে না পেরে কিছুক্ষণ দাড়িয়ে রইলাম, কুয়াশায় সবকিছু ঢাকা, সামনে পিছে কোথাও কিছু দেখতে পাই না, কেমন যেন নিঃশ্বাস বন্ধ হয়ে আসতে চায়।

ঠিক তখন আবার কান্নার শব্দটা শুরু হয়ে গেলো— কেউ একজন কাঁদছে, ইনিয়ে বিনিয়ে কাঁদছে। স্বামী মারা গেলে কমবয়সী মেয়েরা যেরকম সুর করে কাঁদে ঠিক সেরকম কান্না। আমি কেমন জানি ভয় পেয়ে গেলাম, এটি অন্য রকম ভয়— আমার শিরদাড়া দিয়ে এবারে একটা কাঁপুনী বয়ে গেলো। আমি এবারে ঘুরে যেদিক দিয়ে এসেছি সেদিকে ছুটে যেতে থাকি, কোনভাবে গিয়ে নৌকায় উঠে এই ভুতুড়ে চর ছেড়ে পালিয়ে যাব! কুয়াশায় কিছু দেখা যায় না, কোনদিকে ছুটছি জানি না হঠাৎ করে পায়ের নিচে পানির স্পর্শ পেলাম, ছুটতে ছুটতে বিলের পানিতে নেমে গেছি। আমি ডানে বামে তাকিয়ে আবার গলা উচিয়ে ডাকলাম, "আলাউদ্দিন।"

মনে হলো বাম দিক থেকে আলাউদ্দিনের গলার স্বর শুনতে পেলাম, আন্দাজে ভর করে বাম দিকে ছুটতে থাকি। সত্যি সত্যি কিছুক্ষণের মাঝে কুয়াশার মাঝে আবছা আবছা ভাবে নৌকাটাকে দেখতে পেলাম। নৌকার গলুইয়ে চাদর মুড়ি দিয়ে আলাউদ্দিন চুপচাপ বসে আছে। আমি প্রায় ছুটে এসে নৌকায় উঠে বললাম, "নৌকা চালা আলাউদ্দিন— তাড়াতাড়ি—"

আলাউদ্দিনের মাঝে কোন তাড়া নেই। সে ধীরে সুস্থে লগি দিয়ে ঠেলে নৌকাটাকে বিলের পানিতে নামিয়ে দেয়। আমি আবার কান্নার শব্দ শুনতে পেলাম, ইনিয়ে বিনিয়ে কেউ একজন কাঁদছে। কান পেতে শুনে মনে হলো একজন নয় বেশ কয়জন কাঁদছে। আমি ভয়ে ভয়ে চরের দিকে তাকালাম, হঠাৎ করে আমার স্পষ্ট মনে হলো, ঘাসবনের পিছনে কয়েকটা মেয়ে দাঁড়িয়ে আছে, বাতাসে তাদের শাড়ী উড়ছে, চুল উড়ছে তারা হাত নেড়ে নেড়ে আমাকে অভিশাপ দিচ্ছে। সেটি যে কী ভয়ংকর অভিজ্ঞতা বলে বোঝানো যাবে না।

আমি নিঃশ্বাস আটকে রেখে বললাম, "তাড়াতাড়ি চল, আলাউদ্দিন। এখান থেকে পালা।"

আলাউদ্দিন কিছু বলল না। আমি বললাম, "কী সর্বনাশ!"

আলাউদ্দিন এবারেও কিছু বলল না। ছলাৎ ছলাৎ শব্দ করে নৌকা এগিয়ে যাচ্ছে, আমি সাবধানে একটা নিঃশ্বাস ফেলে বললাম, "আফসোস যে হাঁসগুলো আনতে পারলাম না!"

আলাউদ্দিন এবারে অস্পষ্ট একটা শব্দ করল, আমি বললাম, "কী মনে হয় আলাউদ্দিন, কমপক্ষে বারো চৌদ্দটা হাঁস কী পড়ে নি?"

আলাউদ্দিন কোন উত্তর দিল না কিন্তু হঠাৎ করে নৌকার গলুইয়ে ডানা ঝাপটানোর মতো শব্দ শুনতে পেলাম, মাথা নিচু করে দেখি, অনেকগুলো বুনো হাঁস, ডানা ভাঙ্গা, গুলি খাওয়া হাঁস। কিছু মরে গেছে, কিছু ধুকছে! আমি আনন্দে চিৎকার করে বললাম, "আলাউদ্দিন, তুই হাঁসগুলো তুলে নিয়ে এসেছিস?"

আলাউদ্দিন অস্পষ্ট গলায় বলল, "হুঁ।"

"চমৎকার! আমি আরো ভাবলাম এতোগুলো হাঁস ফেলে আসতে হলো—"

আলাউদ্দিন এবারেও কোন কথা বলল না। আমি বললাম, হাঁসগুলো জবাই করে নিতে হবে না? যদি মরে যায়—"

আলাউদ্দিন কোন কথা না বলে নিঃশব্দে নৌকা বাইতে থাকে। অন্য যে কোন সময় হলে এরকম বেয়াদপী আমি সহ্য করতাম না, কিন্তু এখন অন্য ব্যাপার। এই রকম ভুতুড়ে চর থেকে গুলি খাওয়া হাঁসগুলো নিয়ে এসেছে সে জন্যেই আমার কৃতজ্ঞতার শেষ নেই।

বিলের কালোপানিতে নৌকা নিঃশব্দে যেতে থাকে, আমি আকাশের দিকে তাকালাম, মনে হলো হঠাৎ যেন কুয়াশা কেটে যাচ্ছে। ঠিক মাথার উপরে বড় একটা চাঁদ। জ্যোৎস্নার আলোতে চারপাশে এখন বেশ স্পষ্ট দেখা যাচ্ছে। দেখতে দেখতে নৌকাটা পরিষ্কার একটা জায়গায় পৌঁছে গেলো— কী কারণ কে জানে এখানে কোন কুয়াশা নেই, স্পষ্ট দেখা যাচ্ছে দূরে হঠাৎ করে যেন কুয়াশার একটা দেওয়াল দাড়িয়ে আছে। তার ভেতরে সবকিছু অস্পষ্ট। সবকিছু ধোঁয়াটে।

আমি আবার আকাশের দিকে তাকালাম, পরিষ্কার ঝকঝকে চাঁদ। হঠাৎ করে আমি ভয়ানক চমকে উঠি, চাঁদটা ঠিক মাথার উপরে কেন? চাঁদতো এতক্ষণে প্রায় ডুবে যাবার কথা! তার মানে এখন তো ভোর রাত নয়, এখন তো মাঝ রাত। আমি তো আলাউদ্দিনকে বলেছিলাম আমাকে ভোর রাতে তুলে নিতে সে মাঝরাতে কেন তুলে আনল? হঠাৎ করে আমি কেমন যেন ভয় পেয়ে যাই— আমি আলাউদ্দিনের দিকে তাকালাম, চাদর মুড়ি দিয়ে এমনভাবে

ঢেকেছে আমি তার চেহারা দেখতে পাচ্ছি না। এটি কী সত্যিই আলাউদ্দিন নাকি অন্য কেউ? আমি ভয়ে ভয়ে ডাকলাম, "আলাউদ্দিন।"

আলাউদ্দিন কোন উত্তর দিল না কিন্তু হঠাৎ করে বৈঠা চালানো বন্ধ করে দিলো। খানিকক্ষণ নিঃশব্দে বসে থাকে তারপর বৈঠাটা নৌকায় তুলে রেখে দেয়। নৌকাটা বিলের পানিতে ঢেউয়ে অল্প অল্প দুলছে। আমি শুকনো গলায় জিজ্ঞেস করলাম, "কী হয়েছে?"

"খিদা পাইছে।" এই প্রথম সে কথা বলল, গলার স্বর শুষ্ক এবং প্রাণহীন। এটি আলাউদ্দিনের গলার স্বর নয়। আমি ভয়ানক চমকে উঠি।

মানুষটি হঠাৎ করে তার হাত বাড়িয়ে দেয়, শুকনো দীর্ঘ হাত, মনে হয় হাড়ের উপর চামড়া লেপটে লাগানো আছে। মানুষটি শুকনো হাতে খপ করে একটা বুনো হাঁস ধরে নিজের কাছে নিয়ে যায় তারপর হঠাৎ করে তার মাথাটা কামড়ে ধরে কড়মড় করে চিবাতে শুরু করে, হাঁসটা কর্কশ শব্দ করে ডানা ঝাপটাতে থাকে কিন্তু মানুষটির ভ্রুক্ষেপ নেই। চাদর মুড়ি দেয়া মানুষটির মুখ ঢাকা ছিল, মাথা থেকে কাপড় পরে গিয়ে এখন তার চেহারাটা বের হয়ে এসেছে। কোটরাগতো চোখ, ভাঙ্গা তোড়ানো গাল, মাথায় চুল নেই বড় বড় ধারালো দাঁত। বুনো হাঁসটার বুক ছিড়ে দাঁত দিয়ে কামড়ে কামড়ে খেতে খেতে আমার দিকে তাকালো, কী ভয়ংকর সেই চোখ। হাঁসের রক্ত দিয়ে মুখ হাত মাখামাখি হয়ে গেছে। জন্তুর মতো কড়মড় করে খেতে খেতে সেই পিশাচটা আমাকে বলল, "খিদা পাইছে। অনেকদিন তো কিছু খাই নাই।"

বদরুল মামা গল্পের এই পর্যায়ে এসে থেমে গিয়েছিলেন। আমি নিঃশ্বাস বন্ধ করে বসেছিলাম, জিজ্ঞেস করলাম, "তারপর?"

বদরুল মামা মাথা চুলকে বললেন, পরের অংশটা ঠিক মনে নাই, অনেক ভয় পেয়ে মানুষ যখন কিছু করে সেটা ঠিক মনে থাকে না। বন্দুকে গুলি ভরে মনে হয় সেই পিশাচটাকে গুলি করার চেষ্টা করেছিলাম— কাজ হয় নাই। শেষ পর্যন্ত লোকজন এসে আমাকে পানি থেকে তুলেছিল—"

"লোকজন জানল কেমন করে?"

"আলাউদ্দিন ভোর রাতে উঠে বাংলা ঘরে এসে দেখে আমি নাই, তখনই তার সন্দেহ হয়েছে, তাড়াতাড়ি লোক যোগার করে খুঁজতে এসেছিল। এই বিলটার খুব দুর্নাম আছে।"

"আপনার কী হয়েছিল?"

অনেকদিন জ্বরের ঘোরে ছিলাম। শেষ পর্যন্ত সুস্থ হয়েছি, বাবার এতো সখের বন্দুকটা বিলের পানিতে ডুবে গেছে আর খুঁজে পাওয়া যায় নি। বাবা যা রাগ করলেন সে আর বলার মতো নয়।"

"কী করলেন রাগ করে?"

"ভয়ংকর একটা শাস্তি দিলেন?"

"কী শাস্তি দিলেন?"

বদরুল মামা এদিক সেদিক দেখে গলা নামিয়ে বললেন, "বিয়ে দিয়ে দিলেন আমার। সে আরেক কাহিনী—"

সেই কাহিনীটাও আমাদের শুনতে হয়েছে, কিন্তু সেটা এখন থাক।

নিশা তান্ত্রিক

জুলাইয়ের শেষে হঠাৎ করে আমরা বুঝতে পারলাম পরীক্ষা এসে যাচ্ছে। বাণিজ্যমন্ত্রীর ছেলে আমাদের ব্যাচে পড়ে, জুলাই মাসে একটা রাষ্ট্রীয় সফরে তার বাবার সাথে চীন যাবার কথা আছে বলে শুনেছিলাম, সে যদি চীন যায় ফিরে এসে পরীক্ষা দেবে কেমন করে? কাজেই ধরেই নিয়েছিলাম পরীক্ষাটা পিছাবে। কিন্তু শেষ মুহূর্তে কে জানি এসে খবর দিলো যে কূটনৈতিক পর্যায়ে একটা সমস্যা হয়েছে চীনে রাষ্ট্রীয় সফর বাতিল, বাণিজ্যমন্ত্রীর ছেলে চীন যাচ্ছে না যার অর্থ আমাদের আগস্ট মাসেই পরীক্ষা দিতে হবে। আমাদের মাথায় একেবারে আকাশ ভেঙ্গে পড়ল।

এরকম একটা ব্যাপার তো আর এমনি এমনি মেনে নেওয়া যায় না কাজেই পরীক্ষা পিছানোর আন্দোলনের জন্যে একটা কমিটি করা হলো এবং রাত দশটার সময় সেই কমিটির পক্ষ থেকে মিছিল বের করা হলো। মিছিলে কেমন মানুষ হয় সেটা নিয়ে একটা দুশ্চিন্তা ছিল কিন্তু দেখা গেলো আমাদের ব্যাচের সব ছেলেই বের হয়ে এসেছে। প্রথম মিছিলটা ইচ্ছে করে রাত্রি বেলা বের করা হয়েছে, ভাল ছাত্রগুলোও তাহলে যোগ দিতে পারবে, হলের হাউজ টিউটর বা ক্যাম্পাসের স্যারেরা যেন তাদের চিনতে না পারে। মিছিলে দেয়ার জন্যে কিছু গরম স্লোগান তৈরি করা হয়েছে তবে মূল স্লোগানটা এরকম, একজন বলবে "আগস্ট না সেপ্টেম্বর" অন্যেরা সবাই বলবে, "সেপ্টেম্বর সেপ্টেম্বর"— স্লোগানে কোন দ্বিধা দ্বন্দ নেই পরীক্ষাটি আগস্টে নয় আমরা চাই একমাস পিছিয়ে সেপ্টেম্বরে।

মিছিল নিয়ে আমরা যখন ক্যাম্পাস থেকে বের হলাম তখন দুটি ব্যাপার ঘটলো, প্রথমটি হচ্ছে শ্লোগান নিয়ে যতবার শ্লোগান ধরা হলো "আগস্ট না সেপ্টেম্বর" ততবার উত্তর এলো, "ডিসেম্বর ডিসেম্বর!" উদ্যোক্তরা প্রথমে ভাবল ভুল বোঝাবুঝি কিন্তু কিছুক্ষণেই বোঝা গেলো মিছিলের অতি উৎসাহী কিছু ছাত্র পরীক্ষাটা সেপ্টেম্বর নয় ডিসেম্বর পর্যন্তই পিছাতে চায়। উদ্যোক্তারা উপায় না দেখে তখন সেভাবেই শ্লোগানটা পাল্টে নিল।

দ্বিতীয় ব্যাপারটা মিছিলের প্রকৃতি নিয়ে। মিছিলটা ক্যাম্পাস থেকে বের হয়ে রাস্তায় আসা মাত্র মাস্তান প্রকৃতির কয়েকজন ঠোঁট উল্টে বলল, "এই মিছিল দিয়ে পরীক্ষা পিছাবে? উল্টো পুরো কমিটির নামে প্রক্টরিয়াল তদন্ত-কমিটি হয়ে যাবে। একেবারে তিন বছরের জন্যে বহিস্কার।" উদ্যোক্তারা বলল, "তাহলে?" মাস্তানেরা বলল, "আমাদের উপর ছেড়ে দাও।" ছেড়ে না দিলেও তারা অবশ্যি ব্যাপারটা নিজের হাতে নিয়ে নিতো, তারা সেরকম প্ল্যান করেই এসেছে। তারা বড় রাস্তায় সব গাড়ি আটকে ফেলল, গুনে গুনে এক ডজন গাড়ীর কাঁচ গুড়ো করে দিয়ে একটা বি.আর.টি.সি. বাসে আগুন ধরিয়ে দিলো। যখন পুলিশ ফায়ারব্রিগেড ছোটাছুটি করছে তখন তারা দাঁত বের করে হেসে বলল, "এখন দেখি শালার ব্যাটারা পরীক্ষা না পিছিয়ে কোথায় যায়!" শালার ব্যাটা বলতে তারা আমাদের স্যারদের বুঝিয়েছে।

পরদিন খবরের কাগজে দেখলাম জরুরী সিন্ডিকেট ডেকে পরীক্ষা অনির্দিষ্টকালের জন্যে পিছিয়ে দেওয়া হয়েছে। সফল একটা আন্দোলন করতে পেরে আমাদের ভারী আনন্দ হওয়ার কথা ছিলো কিন্তু সবাই টের পেলাম নিজেদের কেমন যেন বেকুব বেকুব মনে হচ্ছে! কেউ অবশ্যি সেটা স্বীকার করলাম না, খুব একটা বিজয় হয়েছে সে রকম ভান করে ঘোরাঘুরি করতে লাগলাম।

পরীক্ষার পড়াশোনার ভয়ংকর চাপ থেকে হঠাৎ করে এমন একটা অবস্থায় চলে এসেছি যে পরীক্ষার তারিখ পর্যন্ত নেই, আমরা ঠিক কী করব বুঝতে পারছিলাম না। তখন আমাদের ভেতর থেকে সুমন বলল, "চল কোন জায়গা থেকে বেরিয়ে আসি।"

জয়ন্ত বলল, "কোথায় যাবি?"

সুমন বলল, "কক্সবাজার, কূয়াকাটা মাধবকুণ্ডু— কতো জায়গা আছে বেড়ানোর।"

"উহুঁ, খাগড়াছড়ি হচ্ছে সবচেয়ে ভাল জায়গা।"

হেলাল বলল, "তাহলে সুন্দরবন দোষ করল কী? পৃথিবীর সবচেয়ে বড় ম্যানগ্রোভ ফরেস্ট—"

সবাই যখন নানা জায়গার বর্ণনা দিতে শুরু করল, আমি বললাম, "জায়গা পরে ঠিক করা যাবে, প্রথমে ঠিক করে নিই কোথাও যাবো।"

জয়ন্ত বলল, "খাটি কথা।"

সুমন বলল, "কোথায় থাকব, কী খাব, কতো টাকা বাজেট সেসব ঠিক না করা পর্যন্ত আমি এর সাথে নেই—"

কাজেই আলোচনা শুরু হয়ে গেলো।

পরীক্ষা পেছানোর কারণে শেষ পর্যন্ত সত্যি সত্যি আমরা ঘুরতে বের হতে পেরেছিলাম। আমাদের সবচেয়ে উৎসাহী দুইজন সুমন এবং হেলাল অবশ্যি শেষ মুহূর্তে আমাদের সাথে যেতে পারে নি। সুমনের বাবা অসুস্থ হয়ে পড়লেন, হেলালের জন্ডিস হয়ে গেলো! গেলাম আমি আর জয়ন্ত। খুব চমৎকার সময় কেটেছিল। আমাদের এই দেশে যে এতো চমকপ্রদ জায়গা আছে আমি জানতাম না! তবে শেষের দিকে আমাদের এমন একটা বিচিত্র অভিজ্ঞতা হয়েছিল যে তার কোন ব্যাখ্যা নেই। অভিজ্ঞতাটা শুধু বিচিত্র নয়— সেটা ছিল ভয়ংকর একটা অভিজ্ঞতা!

আমরা ট্রেনে করে আসছি, শ্রীমঙ্গল এসে খবর পেলাম সামনে কিছু মালগাড়ী পড়ে গেছে ট্রেন আসতে ঘণ্টা তিনেক দেরি হবে। আগে যখন কোথাও গিয়েছি হঠাৎ করে এরকম কিছু ঘটলে একেবারে অস্থির হয়ে যেতাম— এখন মোটেও অধৈর্য হলাম না, বরং একটু খুশি হয়ে উঠলাম যে এই তিন ঘণ্টায় নূতন কিছু করা যাবে। আমি প্লাটফর্মে পা ছড়িয়ে দিয়ে বসলাম, জয়ন্ত খোঁজ নিতে গেলো আশেপাশে দেখার কী আছে। কিছুক্ষণের মাঝেই সে খোঁজ নিয়ে এলো, এক গাল হেসে বলল, "এইখানে অনেক কিছু দেখার আছে!"

"তাই নাকী?"

"হ্যাঁ। কাছাকাছি অনেকগুলো চা বাগান। ফ্লোরোফরম ট্রী নামে একটা গাছ আছে কয়েক কিলোমিটার দূরে। একটা সুন্দর মন্দির আছে, বিশাল একটা বট গাছ আছে এবং একজন ভণ্ড সাধুও আছে আশে পাশে।"

"ভন্ড সাধু বুঝলি কেমন করে? সাধু মানেই তো খাটি।"

জয়ন্ত মাথা নেড়ে বলল, "এটা ভণ্ড। হ্যান্ড্রেড পার্সেন্ট গ্যারান্টি।"

"কীভাবে গ্যারান্টি দিচ্ছিস?"

"সে হচ্ছে পিশাচ সিদ্ধ তান্ত্রিক। টাকা দিলে সে পিশাচের খেলা দেখায়।"

আমি চোখ কপালে তুলে বললাম, "পিশাচের খেলা?"

"হ্যাঁ।"

"মানুষ যেরকম করে বানরের খেলা দেখায় সেরকম?"

"মনে হয় সেরকম। টিকেট করে দেখতে হয়।"

আমি হাতে কিল দিয়ে বললাম, "তাহলে তো দেখতে যেতেই হয়।"

জয়ন্ত বলল, "জায়গাটা কিন্তু দূর আছে এখান থেকে। মনে হয় ট্রেন মিস করব।"

"করলে করব। পিশাচের নাচ না দেখে আমি যাচ্ছি না।"

কাজেই আমি আর জয়ন্ত পিশাচের নাচ দেখতে রওনা দিয়ে দিলাম।

জায়গাটা খুঁজে বের করতে অবশ্যি বেশ সমস্যা হলো— এটা নাট্যগোষ্ঠির নাটক বা শিল্পীর চিত্র প্রদর্শনীর মতো কিছু নয় যে পুরো এলাকায় জানাজানি হয়ে গেছে। অনেক কষ্টে এলাকাটার নাম বের করে টেম্পু রিকশা দিয়ে শেষ পর্যন্ত সেখানে পৌছালাম। সেই এলাকায় অবশ্যি তান্ত্রিকের খানিকটা পরিচিতি আছে, যাকেই জিজ্ঞেস করি সে মুখ বাঁকা করে বলে, "ও নিশা পাগলার আস্তানা? সোজা চলে যান, বড় পুকুরের সামনে বটগাছ, সেই বটগাছের নিচে!"

আমি আর জয়ন্ত কিছুক্ষণের মাঝেই নিশা তান্ত্রিকের আস্তানায় হাজির হলাম। বট গাছের নিচে একটা ছাপড়ার মতো তৈরি করা হয়েছে সেখানে বেশ কিছু মানুষের ভীড়। মানুষগুলোর মাঝে এক ধরনের মিল রয়েছে সবার চোখ ঢুলু ঢুলু এবং লাল, সম্ভবতঃ গাঁজা খাওয়ার কারণে। মাঝামাঝি মিশমিশে কালো একজন মানুষ, তার চুল দাড়ি এমন কী ভুরু পর্যন্ত পেকে গেছে। আমরা উঁকি দিতেই মানুষগুলো সরে আমাদের ভিতরে আসার জন্যে জায়গা করে দিল, যারা এসেছে সবাই চাষাভূসো ধরনের মানুষ, সার্ট প্যান্ট পরে আছি বলে আমরা মনে হয় একটু আলাদা সমাদর পেলাম। মিশমিশে কালো মানুষটি, যে সম্ভবতঃ নিশা পাগলা বা নিশা তান্ত্রিক নামে পরিচিত আমাদের দিকে তাকিয়ে একটা ভং ধরে ফেলল। সামনে একটা মালশা সেখানে তুষের আগুন জ্বলছে তার মাঝে কী একটা দিতেই ভক করে একটু আগুন জ্বলে সারা ঘরে ঝাঁঝালো একটা গন্ধ ছড়িয়ে পড়ল। কাছেই একটা মানুষের করোটি, তার ওপরে একটা মোমবাতি জ্বলছে। একটা বোতল থেকে লাল একধরনের পানীয়

এক ঢোক খেয়ে হাত দিয়ে মুখ মুছে সে আমাদের দিকে তাকালো। জিজ্ঞেস করলো, "কী চাই আপনাদের?"

আমি বললাম, "আমরা আপনার সাথে দেখা করতে এসেছি।"

"কেন?"

"শুনেছি আপনি নাকী প্রেত সাধক। আপনি নাকী পিশাচ সিদ্ধ তান্ত্রিক।"

মানুষটি মুখে মিটি মিটি হাসি ফুটিয়ে বলল, "আপনি ঠিকই শুনেছেন।"

আমি বললাম, "আমাদের সমস্যা হলো যে আমরা দুইজনেই বিজ্ঞানের ছাত্র। আমরা আবার ভূত প্রেত এসব ঠিক বিশ্বাস করি না।"

মানুষটির মুখের মিটি মিটি হাসি বন্ধ হয়ে এবারে তার মুখটা কেমন জানি কঠিন হয়ে যায়। আমার দিকে তীক্ষ্ণ দৃষ্টিতে তাকিয়ে বলল, "আমি তো আপনাদের সমস্যা মিটাতে পারব না।"

জয়ন্ত বলল, "কিন্তু সাহায্য তো করতে পারেন।"

"আমি কেন আপনাদের সাহায্য করব? আমার কী লাভ?"

এই প্রশ্নের উত্তর আমি আর জয়ন্ত দুজনের কেউই জানি না আমরা একটু থতমত খেয়ে গেলাম। আমি ইতস্ততঃ করে বললাম, "দুইজন মানুষকে আপনার লাইনে বিশ্বাস আনাতে পারবেন— এটা কী লাভ হতে পারে না?"

নিশা তান্ত্রিক মাথা নেড়ে বলল, "না। আপনাদের মতো মানুষকে লাইনে আনার আমার কোন ইচ্ছা নেই।"

"কেন?"

"এইসব ব্যাপার হচ্ছে বিশ্বাসের ব্যাপার। যারা এটা বিশ্বাস করে তারা এখানে আসবে, যারা বিশ্বাস করে না তারা অন্য জায়গায় যাবে। যে যেটা বিশ্বাস করে সে সেটার জন্যে কাজ করবে। বুঝেছেন?"

আমি মাথা নাড়লাম। নিশা তান্ত্রিক আমাদের দুইজনকে পুরোপুরি উপেক্ষা করে তার বাম পাশে বসে থাকা একজনকে বলল, "মনসুর, কল্কেটা সাজা।"

আমি আর জয়ন্ত দুইজনই অপমানের সূক্ষ্ম একটা খোচা অনুভব করলাম। ইউনিভার্সিটিতে পড়ি দুইজন মানুষকে এরকম চাষাভূসো জংলী ধরনের মানুষ এভাবে উড়িয়ে দিতে পারে আমরা ঠিক বিশ্বাস করতে পারলাম না। জয়ন্ত মনে হয় একটু রেগে গেলো, বলল, "আপনি কী আমাদের একটা ভূত প্রেত পিশাচ কিছু একটা দেখাতে পারবেন?"

আমরা ভেবেছিলাম নিশা তান্ত্রিক কথাটা এড়িয়ে যাবে কিন্তু সে এড়িয়ে গেল না, সোজাসুজি জয়ন্তের দিকে তাকিয়ে বলল, "পারব। দেখার সাহস আছে?"

জয়ন্ত একটু ঘাবড়ে গেলো, আমতা আমতা করে বলল, "থাকবে না কেন? একশবার আছে।"

"চমৎকার। তাহলে আজ রাত বারোটার সময় এখানে আসেন। আপনারে দেখাব।"

আমি বললাম, "উহুঁ। আমাদের চলে যেতে হবে। ট্রেন ধরতে হবে।"

জয়ন্ত বলল, "এখন দেখাতে পারবেন?"

নিশা তান্ত্রিক অবাক হয়ে বলল, "এখন?"

"হ্যাঁ।"

খানিকক্ষণ চিন্তা করে বলল, "না। তবে—"

"তবে কী?"

"আপনারা যেন পরে দেখতে পারেন তার ব্যবস্থা করে দিতে পারব।"

জয়ন্তের মুখে একটা বাকা হাসি ফুটে উঠল, বলল, "সত্যি?"

"হ্যাঁ। যদি সাহস থাকে বলেন, ব্যবস্থা করে দিই। যদি সাহস না থাকে খবরদার চেষ্টা করবেন না, বিপদ হতে পারে।"

সাহস নিয়ে খোটা দেয়া হলে আমরা তো আর চুপ করে থাকতে পারি না, দুইজনেই প্রায় গর্জন করে বললাম, "সাহস থাকবে না কেন?"

"ঠিক আছে। দুইজনের একজন আমার কাছে আসেন।"

"কেন?"

নিশা তান্ত্রিক বিরক্ত হয়ে বলল, "শুধু শুধু প্রশ্ন করবেন না। সাহস থাকে তাহলে কাছে আসেন, সাহস না থাকলে সময় নষ্ট না করে চলে যান।"

আমি আর জয়ন্ত একজন আরেকজনের মুখের দিকে তাকালাম, তারপর আমি এগিয়ে গেলাম। নিশা তান্ত্রিক বলল, "ডান হাতটা দেন।"

আমি ডান হাতটা এগিয়ে দিলাম। নিশা তান্ত্রিক তার ঝোলার ভিতর থেকে অনেকগুলো ছোট ছোট হাড় বের করে তার ভেতর থেকে খুঁজে খুঁজে একটা বের করে খানিকক্ষণ পরীক্ষা করে আমার হাতে রেখে বলল, হাত বন্ধ করেন।"

নিশা তান্ত্রিক আমার হাতটা চেপে ধরে রেখে বিড় বিড় করে কী যেন বলতে থাকে। কিছুক্ষণ পর হঠাৎ একটা বিচিত্র জিনিস ঘটতে শুরু করে, মনে

হতে থাকে ছোট হাড়টা জীবন্ত কিছুর মতো আমার হাতের ভেতর নড়তে শুরু করেছে, আমি চমকে হাতটা খুলে ফেলতে চাইলাম, নিশা তান্ত্রিক খুলতে দিল না। হাতে একটা ফুঁ দিয়ে বলল, "আপনাকে আমি একটা অপদেবতা দিলাম।"

"অপদেবতা দিলেন? আমাকে?"

"হ্যাঁ। সেটা আপনার সাথে দেখা করতে আসবে।"

"দেখা করতে আসবে?"

"হ্যাঁ। নিচু শ্রেণীর অপদেবতা, বেশি কিছু বুঝে না, কাজেই সাবধান। ভয় পাবেন না তাহলে আপনার উপর ভর করতে পারবে না।"

আমার চেহারায় নিশ্চয়ই ভয়ের ছাপ ফুটে উঠেছিল কারণ নিশা তান্ত্রিক ভুরু কুঁচকে বলল, "ভয় পেয়েছেন? তাহলে—"

আমি তাড়াতাড়ি মুখ শক্ত করে বললাম, "না। ভয় পাই নাই।"

"তারপরেও আমি দুইটা তাবিজ দেই। হাতে বেঁধে রাখবেন— বিপদ হবে না তাহলে।"

"তাবিজ বেঁধে রাখব?" আমি অবিশ্বাসের দৃষ্টিতে নিশা তান্ত্রিকের দিকে তাকিয়ে বললাম, "আমরা?"

"হ্যাঁ। যে খেলার যে নিয়ম। আপনার বিজ্ঞান সাধনায় তাবিজ লাগে না। এই সাধনায় লাগে।"

আমি মাথা নাড়লাম, বললাম, "ঠিক আছে।"

"চমৎকার। এখন তাহলে যান আপনারা।" নিশা তান্ত্রিক তার সাগরেদের দিকে তাকিয়ে বলল, "কল্কেটা দে মনসুর।"

মনসুর নামে লিকলিকে রোগা মানুষটা একটা সরু কলকে এগিয়ে দিল। নিশা তান্ত্রিক হাতে নিয়ে দুই হাতে ধরে এমন ভাবে মুখে লাগিয়ে টান দিল যে মনে হলো কল্কে বুঝি ফেটে যাবে! তারপর বেশ কিছুক্ষণ ধোঁয়াটা বুকে আটকে রেখে সে নাক মুখ দিয়ে বের করে কিছুক্ষণ ঝিম মেরে থাকে। সমস্ত ছাপড়ায় একটা বোটকা গন্ধ ছড়িয়ে পড়ল।

আমি আর জয়ন্ত উঠে দাঁড়ালাম। নিশা তান্ত্রিক বলল, "যদি এই অপদেবতাকে ডাকেন কাছাকাছি একটা জীবন্ত প্রাণী রাখবেন।"

"কেন?"

"নিচু শ্রেণীর অপদেবতা। একটা প্রাণ হানি না করে যেতে চায় না।"

আমার বুকটা ধ্বক করে উঠল, বলে কী মানুষটা!

"বিড়াল কুকুর পাখী হাঁস মুরগী যা কিছু হতে পারে।"

"যদি না রাখি?"

"বিপদ হতে পারে।" নিশা তান্ত্রিক চোখ তুলে বলল, "আর শোনেন এই তাবিজ আর হাড় হারাবেন না, ফেলে দিবেন না।"

"কেন?"

"ঐ যে বললাম, বিপদ হতে পারে। হাড়টা মানুষের হাড়।"

আমার গা ঘিনঘিন করে উঠল, সেটা প্রকাশ না করে বললাম, "ঠিক আছে।"

নিশা তান্ত্রিক হাত বাড়িয়ে বলল, "দুইশ টাকা দেন।"

আমরা অবাক হয়ে তার দিকে তাকালাম। জয়ন্ত চোখ পাকিয়ে বলল, "কেন?"

"আমার ফী। ডাক্তাররা ফী নেয়, ইঞ্জিনিয়াররা নেয়— আমি নিতে পারব না?"

আমি কিছু একটা বলতে যাচ্ছিলাম নিশা তান্ত্রিক বাঁধা দিয়ে বলল, "এখন আমি দুইশ টাকায় মানব, পরে কিন্তু দুই হাজারেও মানব না!"

"কী মানবেন না?"

নিশা তান্ত্রিক কোন কথা না বলে হা হা করে হেসে উঠল। তার হাসি শুনে হঠাৎ আমার বুক কেঁপে উঠে। আমি তাড়াতাড়ি মানিব্যাগ বের করে দুইশ টাকা বের করে আনি।

ছাপড়া থেকে বের হয়ে জয়ন্ত আমার দিকে তাকিয়ে রেগে বলল, "আমি বিশ্বাস করতে পারছি না তুই এই ভণ্ড মানুষটার বুজরুকী দেখে ভয় পেয়ে দুইশ টাকা দিয়ে দিলি।"

আমি কোন কথা বললাম না, জয়ন্ত বলল, "কতো বড় ধড়িবাজ দেখেছিস? কত রকম ভজং!"

আমি এবারেও কোন কথা বললাম না। জয়ন্ত বলল, "বাড়ি গিয়েই এই তাবিজ আর হাড্ডি আমি যদি টয়লেটে ফেলে না দেই।"

আমি এবারেও কোন কথা বললাম না, ছোট হাড়টা পকেটে আছে, আমার এক ধরনের অস্বস্তি হচ্ছে এটা একটা মৃত মানুষের শরীরের হাড় জানার পর থেকে মনটা খুৎ খুৎ করছে সত্যি কিন্তু অস্বস্তিটা অন্য কারণে। কেন জানি মনে হচ্ছে পকেটে ছোট হাড়টা মাঝে মাঝে নড়ে উঠছে।

প্রথম কয়েকদিন আমি একটু ভয়ে ভয়ে ছিলাম, আমার মনে হয়েছিল সত্যিই বুঝি নিশা তান্ত্রিকের অপদেবতা এসে হাজির হবে। কয়েকদিন যাবার পর মোটামুটি ভাবে নিঃসন্দেহ হয়ে গেলাম যে পুরো ব্যাপারটি একটা বুজরুকী ছাড়া আর কিছু নয়। এক কথায় দুইশ টাকা দিয়ে দেবার জন্যে তখন রীতিমতো আফসোস হতে থাকে।

আমি আর জয়ন্ত সীতাকুন্ডু, চট্টগ্রাম, কক্সবাজার, টেকনাফ হয়ে রাঙামাটি এসেছি। রাঙামাটিতে একটা চমৎকার রেস্ট হাউজ পেয়ে গেলাম, জয়ন্তের এক কাকা বড় ইঞ্জিনিয়ার তিনি ব্যবস্থা করে দিয়েছেন। পাহাড়ের গা ঘেষে ছবির মতো গেস্ট হাউজ, দেখে চোখ জুড়িয়ে গেলো। আমরা গিয়ে আবিস্কার করলাম এখানে আরো যে দুটো পরিবার ছিল তারা ঐ দিন ভোর বেলাই চলে গেছে, এখন পুরো রেস্ট হাউজটা আমার আর জয়ন্তের দখলে— একটা বিড়াল দেখেছি, যদি সেটাকে ধর্তব্যের মাঝে না আনি!

অনেকদিন পর ভাল করে গোসল করে পরিস্কার কাপড় পরেছি। রাত্রে খাওয়ার আয়োজনও ছিল ভাল, ভাত, মুরগীর মাংশ সবজি এবং ডাল। সবকিছুতেই ঝাল একটু বেশি কিন্তু খেতে চমৎকার। খেয়ে বারান্দায় ইজি চেয়ারে বসে আমি আর জয়ন্ত অনেক বড় বড় জিনিস নিয়ে কথা বলে রাত বারোটা বাজিয়ে ফেললাম। ঘড়ি দেখে আমি বললাম, "চল শুয়ে পড়ি।"

জয়ন্ত উঠে দাড়িয়ে বলল, "চল।"

আমরা দুজনেই তখন হঠাৎ একজন আরেকজনের দিকে তাকালাম, দুজনেই হঠাৎ কিছু একটা অস্বাভাবিক জিনিস অনুভব করতে শুরু করেছি, জিনিসটা কী ঠিক বুঝতে পারছি না। জয়ন্ত ফিস ফিস করে বলল, "কিছু একটা হয়েছে হঠাৎ।"

"হ্যাঁ।" আমি মাথা নাড়লাম, "কী হয়েছে?"

জয়ন্ত হঠাৎ চমকে উঠে বলল, "বুঝতে পেরেছি।"

"কী?"

"মনে আছে কেমন ঝিঁ ঝিঁ পোকার ডাক ছিল? এখন কোন শব্দ নেই। কোন ঝিঁ ঝিঁ পোকার ডাক নেই।"

সত্যিই তাই, পুরো এলাকাটা হঠাৎ এমন নীরব হয়ে গেছে যে আমি ভয়ের একটা কাঁপুনী অনুভব করলাম। আমি আর জয়ন্ত চারিদিকে তাকালাম, রেস্ট হাউজের আলো বাইরে খানিকদূর গিয়েছে, তার বাইরে ঘুটঘুটে

অন্ধকার। চারিদিকে গাছ গাছালি, সব মিলিয়ে কেমন যেন থমথমে একটা ভাব।

হঠাৎ করে কাছাকাছি গাছের একটা ডাল নড়তে শুরু করে, মনে হয় সেই ডালে কেউ একজন বসে ডাল ঝাকাতে শুরু করেছে, হঠাৎ করে ঝাকুনী থেমে গেল এবং ধুপ করে একটা শব্দ শুনতে পেলাম। মনে হলো গাছ থেকে কিছু একটা জিনিস যেন নিচে পড়েছে। চারিদিকে হঠাৎ একটা বোটকা গন্ধ ছড়িয়ে পড়ল, অনেকটা মাংশ পোড়া গন্ধ।

আমি জয়ন্তকে বললাম, "জয়ন্ত ভেতরে আয়।"

"হ্যাঁ। চল।"

দুইজনে আমরা তাড়াতাড়ি আমাদের রুমে ঢুকে দরজা বন্ধ করে দিলাম। হঠাৎ করে আমরা দুজনেই ভয় পেয়েছি। জয়ন্ত নিচু গলায় বলল, "নিশ্চয়ই বানর হবে।"

"হ্যাঁ। নিশ্চয়ই বানর।" আমি একটু অস্বস্তি নিয়ে বললাম, "কিন্তু এমন দুর্গন্ধ কেন চারিদিকে?"

জয়ন্ত ঢোক গিলে বলল, "সেটা তো জানি না।"

"আয় শুয়ে পড়ি।"

জয়ন্ত মাথা নাড়ল, বলল, "গুড আইডিয়া।"

আমরা লাইট নিভিয়ে নিজেদের বিছানায় শুয়ে পড়লাম, এবং শুয়ে শুয়ে শুনলাম একটা বিড়াল হঠাৎ করে ঠিক মানুষের গলায় কান্নার মতো শব্দ করে ডাকছে। সেই ডাকটি এমন ভয়ংকর যে আমার গা কেঁপে উঠল।

আমি আর জয়ন্ত দুজনেই নিজেদের বিছানায় শুয়ে আছি দুজনের কেউই ঘুমাতে পারছি না। আমি বিছানায় শুয়ে শুয়ে শুনতে পেলাম ঘরের ভিতরে খুট খুট করে একরকম শব্দ হচ্ছে। আমি বললাম, "জয়ন্ত, শব্দ শুনতে পাচ্ছিস?"

"হ্যাঁ।"

"কোথা থেকে শব্দ হচ্ছে?"

"জানি না। মনে হয় তোর ব্যাগের ভেতর থেকে।" জয়ন্ত এক মুহূর্ত অপেক্ষা করে বলল, "লাইটটা জ্বালাব?"

"জ্বালা।"

আমি শুনতে পেলাম সে বিছানা থেকে নামল, ঠিক তখন হঠাৎ করে গেস্ট হাউজের একটা জানালা সশব্দে খুলে গেলো। মনে হল হঠাৎ করে একটা দমকা হাওয়া ঘরের ভেতরে ঢুকেছে ঘরের ভেতর বাতাসের একটা ঝাপটায়

কাগজপত্র বই উড়তে থাকে, বাদুর কিংবা রাতজাগা কোন পাখির ডানা ঝাপটানোর একটা শব্দ শুনলাম— সাথে সাথে ঘরের ভেতরটুকু বোটকা একটা গন্ধে পুরো ঘর ভরে উঠে। মনে হতে থাকে ভয়ংকর অশুচি কিছু ঘরের ভেতরে ঢুকেছে। আমি চিৎকার করে জয়ন্তকে ডাকলাম, বললাম, "জয়ন্ত, সাবধান।"

জয়ন্ত আমার কথার কোন উত্তর দিল না। আমি একটু ভয় পাওয়া গলায় ডাকলাম, "জয়ন্ত!"

জয়ন্ত এবারও আমার কথার উত্তর দিল না। আবছা অন্ধকারে জয়ন্তকে দেখতে পাচ্ছি সে ঘরের মাঝামাঝি দাঁড়িয়ে আছে; কেন সে কথার উত্তর দিচ্ছে না বুঝতে পারছি না। আমি আবার জিজ্ঞেস করলাম, "জয়ন্ত! কী হয়েছে তোর?"

ঠিক তখন মনে হলো ঘরের ভেতর একটা চাপা অন্ধকার জমা হয়েছে, সেটি নড়ছে, ঘরের ভেতর ঘুরে বেড়াচ্ছে। আমি নিঃশ্বাস নেবার মতো এক ধরনের শব্দ শুনতে পেলাম। জয়ন্ত তখনও সেখানে দাঁড়িয়ে আছে— জমাট বাঁধা অন্ধকারটা হঠাৎ করে জয়ন্তের দিকে ছুটে এলো, মনে হলো সেটা জয়ন্তের উপর লাফিয়ে পড়ল। অমানুষিক একটা চিৎকার দিয়ে জয়ন্ত তখন নিচে পড়ে যায়। আমি এক ধরনের গোঙ্গানোর মত শব্দ শুনতে পেলাম, মনে হলো জয়ন্ত বুঝি মরে যাচ্ছে।

আমি বিছানা থেকে লাফিয়ে নামলাম আলো জ্বালানোর জন্যে পাগলের মতো সুইচ খুঁজতে থাকি সেটা আর খুঁজে পাই না, শেষ পর্যন্ত সেটা খুঁজে পেলাম, সুইচটা টিপতেই ঘরটা আলোকিত হয়ে উঠল। জয়ন্ত মেঝেতে লম্বা হয়ে শুয়ে আছে, সে থর থর করে কাঁপছে। আমি তার কাছে দৌড়ে গিয়ে তাকে ধরে ডাকলাম, "জয়ন্ত! এই জয়ন্ত।"

জয়ন্ত চোখ খুলে তাকালো। তার সেই দৃষ্টি দেখে আমি ভয়ে ছিটকে সরে গেলাম। সেটি মানুষের দৃষ্টি নয়। জয়ন্ত মাথা ঘুরিয়ে আমার দিকে তাকলো, তারপর হঠাৎ হা হা করে হেসে উঠল, আমি তার হাসি দেখে আতংকে শিউরে উঠলাম। হাসতে হাসতেই জয়ন্ত উঠে বসল, দেখে মনে হচ্ছে সে নিজে থেকে উঠে নি, কেউ তাকে টেনে তুলেছে, তার ভঙ্গী আড়ষ্ঠ। আমি বিস্ফারিত চোখে তার দিকে তাকিয়ে রইলাম, দেখতে পেলাম সে দুই হাত সামনে তুলে ধরে আমার দিকে এগিয়ে আসতে লাগলো, মনে হলো আমাকে সে ধরতে চায়। ভয়ংকর একটি দৃষ্টিতে সে আমার দিকে তাকিয়ে আছে, মুখ দিয়ে গোঙ্গানোর

মতো শব্দ করছে, জিব বের হয়ে আছে এবং মুখ থেকে লালা ঝরছে। মুখের চামড়া টেনে উপরে উঠে গিয়ে দাঁতগুলো বের হয়ে এসেছে। জয়ন্ত আর জয়ন্ত নেই সে একটি অমানুষিক পিশাচে পাল্টে গেছে।

জয়ন্ত খুব ধীরে ধীরে আমার দিকে এগিয়ে আসতে থাকে, আমি পিছিয়ে যেতে থাকি, এই ঘর থেকে বের হয়ে গেস্ট হাউজের গার্ডকে ডেকে আনতে হবে, কিন্তু দরজাটি অন্যদিকে আমি যেতে পারছি না। জয়ন্ত আরো কাছে এগিয়ে এসে হঠাৎ হিংস্র পশুর মতো আমার উপর লাফিয়ে পড়লো— আমি চিৎকার দিয়ে এক পাশে সরে গেলাম, জয়ন্ত আমার পাশে এসে পড়ল, খাটের পাশে রাখা ছোট টেবিলে আঘাত লেগে তার মাথা কেটে গেছে, সেখানে রক্ত চুঁইয়ে চুঁইয়ে বের হতে থাকে। আমি ভয়ংকর আতংকে দেখতে পেলাম সে জিব বের করে চেটে চেটে তার নিজের রক্ত খেতে থাকে।

ঠিক তখন আমার নিশা তান্ত্রিকের কথা মনে হলো— এটি কী তার অপদেবতা? যদি তাই হয়ে থাকে তাহলে কী আমি তার দেয়া সেই তাবিজটি বের করতে পারি না? আমার ব্যাগের পকেটে রেখেছিলাম ব্যাগটা টেবিলের উপর। জয়ন্তকে পাশ কাটিয়ে অন্য পাশে যেতে হবে, কাজটি সহজ নয় কিন্তু আমাকে যেতেই হবে। আমি উঠে বসে এক লাফ দিয়ে অন্যপাশে ছুটে যাবার চেষ্টা করলাম কিন্তু জয়ন্ত আমাকে ধরে ফেলল, গোঙ্গানোর মতো শব্দ করে সে আমার গলায় দাঁত বসানোর চেষ্টা করতে থাকে আমি চিৎকার করে তার কাছ থেকে ছোটার চেষ্টা করতে থাকি, তার গায়ে অমানুষিক শক্তি নিজেকে ছাড়িয়ে নেয়া অসম্ভব একটি ব্যাপার! জয়ন্ত আমাকে নিচে ফেলে দিয়ে আমার বুকের উপর চেপে বসে ভয়ংকর ভঙ্গীতে আমার দিকে তাকিয়ে আছে। আমি নিঃশ্বাস নিতে পারছি না, সেই অবস্থায় হাত দিয়ে টেনে ব্যাগটা নামিয়ে আনি। আন্দাজে ব্যাগের জিপ খুলে হাত ঢুকিয়ে দিতেই মনে হলো ব্যাগের ভেতর কিছু একটা নড়ছে। এটা নিশ্চয়ই সেই মানুষের হাড়— এটাই খুট খুট শব্দ করছিল। আমি হাত দিয়ে হাতড়াতে থাকি— হঠাৎ করে তাবিজ দুটো পেয়ে গেলাম খপ করে সেটা ধরতেই একটা বিচিত্র ব্যাপার হলো। জয়ন্ত আমার বুকের উপর থেকে গড়িয়ে নিচে পড়ে গেলো, তারপর ভীত পশুর মতো গড়িয়ে সরে গেল। সরীসৃপের মতো হামাগুড়ি দিয়ে সে খাটের নিচে ঢুকে গিয়ে আর্তনাদ করতে থাকে।

আমি একটা তাবিজ কোনমতে নিজে গলায় ঝুলিয়ে নিলাম, অন্যটা হাতে নিয়ে জয়ন্তের কাছে এগিয়ে যেতে থাকলাম। সে খাটের নিচে গুটিশুটি মেরে ঢুকেছে সেখান থেকে তাকে টেনে বের করা সোজা নয়। আমি তাবিজটা

হাতে ধরে তার দিকে এগিয়ে যেতে থাকি সে হঠাৎ যন্ত্রনায় ছটফট করতে থাকে, আমার থেকে সরে যাবার জন্যে প্রাণপন চেষ্টা করতে থাকে। আমার দিকে হাত পা ছুড়ছে, কিছুতেই সে আমাকে কাছে আসতে দেবে না। আমি তাবিজটা তার শরীরের দিকে ছুড়ে দিলাম, কারো শরীরে কেউ যদি জলন্ত সীসা ঢেলে দিলে সে যেরকম ভাবে আর্তনাদ করে জয়ন্ত সেভাবে আর্তনাদ করে উঠে, তারপর হঠাৎ করে নেতিয়ে একেবারে নিথর হয়ে গেলো।

আমি এরকম সময়ে দরজায় শব্দ শুনতে পেলাম। গার্ড দরজা ধাক্কা দিচ্ছে। আমি গিয়ে দরজা খুলে দিলাম, হাতে একটা লাঠি নিয়ে উদ্বিগ্ন মুখে সে দরজায় দাঁড়িয়ে আছে, জিজ্ঞেস করলো, "কী হয়েছে স্যার?"

আমি কীভাবে ব্যাখ্যা করব বুঝতে পালাম না, তাই সে চেষ্টা না করে বললাম, "খাটের তলা থেকে জয়ন্তকে আগে বের করতে হবে। তারপর ডাক্তার ডাকতে হবে—"

দুইজনে মিলে আমরা জয়ন্তকে বের করে আনলাম, রক্তে মুখ মাখামাখি হয়ে আছে, চোখ বন্ধ আমি নাকের কাছে হাত দিয়ে দেখলাম নিঃশ্বাস নিচ্ছে সে মরে যায় নি, অচেতন হয়ে আছে। আমি গার্ডকে বললাম, "দৌড়ে একজন ডাক্তারকে ডাকেন তা না হলে এখনি একে হাসপাতালে নিতে হবে।"

গার্ড বের হয়ে যেতে যেতে ফিরে এসে বলল, "দরজার সামনে আমার বিড়ালটা মরে পড়ে আছে, কে মেরেছে?"

আমি বিরক্ত হয়ে বললাম, "মানুষ মরে যাচ্ছে আর আপনি বিড়াল নিয়ে মাথা ঘামাচ্ছেন?"

এর পরের ঘটনা মোটামুটি ভাবে স্বাভাবিক। জয়ন্তকে দুই দিন হাসপাতালে থাকতে হলো। একটু সুস্থ হওয়া মাত্রই আমি আর জয়ন্ত শ্রীমঙ্গলে ছুটে গেলাম। নিশা তান্ত্রিক তার আখড়া গুটিয়ে চলে যাবার আয়োজন করছে। আমাদের দেখে দাঁত বের করে হেসে বলল, "কী হলো? বিশ্বাস হয়েছে?"

আমি কোন কথা না বলে পকেট থেকে তাবিজ এবং মৃত মানুষের হাড়টা বের করে বললাম, "আপনাকে এগুলো ফিরিয়ে দিতে এসেছি।"

"আসেন কাছে আসেন। ফিরিয়ে দেয়া এতো সোজা নয়। আমার ফী দুইশ টাকা। আছে তো টাকা?"

আমি কিছু বলার আগেই জয়ন্ত বলল, "আছে। অবশ্যই আছে।"

নিশিকন্যা

মেঘনা নদীর তীরে ছোট একটা শহরে এক অনুষ্ঠানে গিয়েছি। স্কুলের ছেলেমেয়েদের পুরস্কার বিতরণী অনুষ্ঠান, আয়োজকরা খুব খাটাখাটুনি করে আয়োজন করেছেন। অসংখ্য ছোট ছোট বাচ্চা-কাচ্চারা পুরস্কার নিতে এসেছে, আমিও পুরস্কার দিতে দিতে মোটামুটি এক্সপার্ট হয়ে গেছি। বাচ্চারা আগে পুরস্কারটা নেবে নাকি আগে হ্যান্ডশেক করবে সেটা নিয়ে দ্বিধা-দ্বন্দ্বে থাকে, আমি সেগুলো মিটিয়ে দিই। দিশেহারা টাইপের বাচ্চাগুলোর নাম জিজ্ঞেস করে সার্টিফিকেটের সাথে মিলিয়ে নিই এবং যাদের বাবামায়েরা ছেলেমেয়ের পুরস্কার গ্রহণের দৃশ্যের ছবি তোলার জন্যে ক্যামেরা নিয়ে এসেছেন, তারা যতক্ষণ পর্যন্ত ছবিটা ঠিকমতো না তুলছেন ততক্ষণ পর্যন্ত পুরস্কারটা ধরে রেখে বাচ্চাটাকে স্টেজে আটকে রাখি। এই ধরনের অনুষ্ঠান সাধারণত শুরু হয় দেরি করে এবং কখনোই সময়মতো শেষ হয় না। কিন্তু অনুষ্ঠান শেষে আমি অবাক হয়ে আবিষ্কার করলাম যে আয়োজকরা ঠিক সময়মতো অনুষ্ঠান শেষ করে ফেলেছেন— আমি হাতে কিছু সময় রেখেছিলাম এবং সেই পুরো সময়টুকু এখন উদ্বৃত্ত!

বাড়তি সময় নিয়ে কী করা যায় সেটা নিয়ে আলোচনা করছি তখন মধ্যবয়স্ক একজন ভদ্রলোক বলেন, "স্যার আমাদের গ্রামে চলেন।"

আয়োজকদের একজন ধমক দিলেন, বললেন, "স্যারের এখন খেয়েদেয়ে কাজ নেই আপনার গণ্ডগ্রামে যাবেন!"

ভদ্রলোক তবু দুর্বলভাবে চেষ্টা করলেন, বললেন, "খুব সুন্দর গ্রাম স্যার। নদীর তীরে একেবারে ছবির মতন—"

একজন হা হা করে হেসে বললেন, "রাস্তাঘাট নাই, ইলেকট্রিসিটি নাই, হাঁটু উঁচা কাদা, কোন জায়গাটা ছবির মতো?"

অন্য একজন বললেন, "স্যারের হাতে সময় খুব বেশি হলে তিন ঘণ্টা। আপনার গ্রামে নৌকা করে যেতেই তো লাগবে তিন ঘণ্টা!"

মধ্যবয়স্ক ভদ্রলোক বললেন, "ট্রলারে গেলে এক ঘণ্টায় যাওয়া যাবে, আর টি.এন.ও সাহেবকে বলে স্পীড বোটটা নিলে তো কথাই নাই। আধা ঘণ্টার মাঝে—"

অন্যেরা রীতিমতো হৈ হৈ করে তাকে থামিয়ে দিল। ভদ্রলোক তবু হাল ছাড়লেন না, আমার দিকে তাকিয়ে বললেন, "চলেন স্যার, আপনি রাজি হলেই হয়ে যাবে। আপনি খুব পছন্দ করবেন স্যার। একটা বট গাছ আছে কম পক্ষে এক হাজার বছরের পুরানো। একটা গোরস্তান—"

আয়োজকদের একজন রাগ হয়ে বললেন, "মাস্টার সাহেব, আপনি তো আচ্ছা মানুষ, স্যারকে গোরস্তানে নিয়ে যেতে চাইছেন।"

অন্য একজন বলল, "এদিকে চেয়ারম্যান সাহেব খবর পাঠিয়েছেন, স্যারকে নিয়ে যাবার জন্যে। চা-নাস্তার ব্যবস্থা করবেন।"

চেয়ারম্যান সাহেবের বাসায় চা-নাস্তা খাবার আয়োজন শুনে আমি অবশ্যি নার্ভাস হয়ে গেলাম। এর চাইতে মেঘনা নদীতে ট্রলারে করে ঘণ্টাখানেক নৌকা ভ্রমণ মন্দ ব্যাপার নয়। হাজার বছরের পুরানো বট গাছ এবং গোরস্তান কেক এবং সমুছা থেকে অনেক ভালো। আমি তাই মধ্যবয়স্ক মানুষটির দিকে তাকিয়ে বললাম, "মাস্টার সাহেব, আপনি গোরস্তানের কথা কী যেন বলছিলেন?"

আমার কথায় মধ্যবয়স্ক মাস্টার সাহেব উৎসাহ পেলেন, চোখ বড় বড় করে বললেন, "স্যার গোরস্তানটা কত পুরানো কেউ জানে না। ভাঙ্গা একটা দেওয়াল আছে, দেখে মনে হয় কয়েক হাজার বছরের পুরানো!"

ভদ্রলোকের একটু বাড়িয়ে বলার বাতিক আছে, কথাবার্তা বলার জন্যে এরকম মানুষ মন্দ নয়। আমি অন্যদের দিকে তাকিয়ে বললাম, "বেশ ইন্টারেস্টিংই তো মনে হচ্ছে! ঘুরে আসলে মন্দ হয় না, কী বলেন?"

আয়োজকদের একজন বললেন, "কষ্ট হবে স্যার অনেক!"

চেয়ারম্যান সাহেবের বাসায় চা-নাস্তা খাবার ভয়ে আমি হাত নেড়ে উড়িয়ে দিয়ে বললাম, "কিচ্ছু কষ্ট হবে না। ট্রলারে করে যেতে আমার খুব ভালো লাগে!"

কাজেই কিছুক্ষণের মাঝেই আমরা মাস্টার সাহেবের গ্রাম দর্শনে বের হয়ে গেলাম। ভদ্রলোকের পুরো নাম আজীজুর রহমান, সবাই ডাকে আজীজ মাস্টার। তার গ্রামের নাম বাঘাইকান্দি, সেই গ্রামের হাই স্কুল বাঘাইকান্দি উচ্চ বিদ্যালয় থেকে তিনজন পুরস্কারপ্রাপ্ত ছেলেমেয়ে নিয়ে এসেছিলেন, এখন আমাদের ট্রলারে করে ফিরে যাচ্ছেন। ভদ্রলোকের কথা বলার বাতিক আছে, একটানা কথা বলে গেলেন, তবে ট্রলারের ইঞ্জিনের বিকট শব্দের কারণে তার কথায় বেশির ভাগই শুনতে হলো না, আমি হুঁ হাঁ বলে কাজ চালিয়ে গেলাম।

বাঘাইকান্দি গ্রাম একেবারে খাঁটি অজ পাড়াগাঁ— সেখানে মনে হয় ট্রলার পর্যন্ত যায় না। কাজেই যখন ট্রলার এসে ভিড়ল তখন মানুষের ভিড় জমে গেলো। আজীজ মাস্টার বিশেষ সমাদর করে আমাকে নামালেন, এবং একটানা ধারাবর্ণনা দিয়ে গেলেন, "স্যার এই গ্রামের নাম বাঘাইকান্দি তার একটা ইতিহাস আছে। একবার বন্যার পানিতে এক বাঘ ভেসে এলো, একেবারে রীতিমতো রয়েল বেঙ্গল টাইগার। মানুষ ভয়ে অস্থির। অনেক আগের ঘটনা, কারো কাছে বন্দুক নাই বাঘ গুলি করতে পারে না। অনেক বুদ্ধি করে গ্রামের মানুষ বিশাল এক গর্ত করলো, ওপরে গাছপালা দিয়ে ঢাকা দিয়ে একদিন বাঘকে চারদিক থেকে ঘিরে তাড়া করলো! ঢাক ঢোল বাজিয়ে চিৎকার করে মশাল জ্বালিয়ে আসছে— তাড়া খেয়ে বাঘ সেই গর্তে গিয়ে পড়েছে! সেই গর্ত থেকে বাঘ আর বের হতে পারে না। সারা রাত গর্জন করে আর সারা রাত কান্দে! সেই থেকে গ্রামের নাম বাঘাইকান্দি!"

জিজ্ঞেস করলাম, "কতোদিন আগের ঘটনা?"

"বেশিদিন আগের না, আমার দাদা নিজের চোখে দেখেছেন—"

"ইন্টারেস্টিং!" আমি জিজ্ঞেস করলাম, "এই ঘটনার আগে তাহলে গ্রামের নাম কী ছিল?"

আজীজ মাস্টার মাথা চুলকাতে চুলকাতে বললেন, "ইয়ে— সেটা তো জানি না।"

আয়োজকদের একজন বলল, "নিশ্চয় বিলাইকান্দি!"

উপস্থিত অনেকেই সেটাকে উঁচুদরের রসিকতা মনে করে হি হি করে হাসতে শুরু করল।

তবে আজীজ মাস্টারের কথা সত্যি, গ্রামটি আসলেই একেবারে ছবির মতোন। নদীর তীর অনেক উঁচু, সেখানে দাঁড়িয়ে সামনে সুবিস্তৃত মেঘনা নদীকে দেখলে বুকের ভেতরে বিচিত্র এক ধরনের শূন্যতার অনুভূতি হয়।

নদীর ঘাটে ইট দিয়ে বাঁধানো সিঁড়ি-সিঁড়ির পাশে বসার জন্যে বেদী। তার কাছাকাছি ছোট একটা টিনের ঘর। আমি জিজ্ঞেস করলাম, "এটা কার ঘর?"

"চেয়ারম্যান সাহেবের।"

"কে থাকে?"

"এমনিতে কেউ থাকে না। আপনার মতোন গেস্ট আসলে থাকার ব্যবস্থা হয়।"

শুনে আমি চমৎকৃত হলাম, সত্যিই নদীর তীরে এরকম ছোট একটা ঘরে কিছুদিন থাকতে পারলে মন্দ হতো না! বারান্দায় বসে নদীর দিকে তাকিয়ে আছি, আকাশ কালো করে মুষলধারে বৃষ্টি হচ্ছে, টিনের ছাদে ঝমঝম করে শব্দ হচ্ছে সেই শব্দ ছাপিয়ে ব্যাঙের ডাক শুনতে পাচ্ছি— চিন্তা করেই আমি কেমন জানি দুর্বল হয়ে গেলাম। আমার চেহারায় সেটা নিশ্চয়ই ধরা পড়েছিল, কারণ আজীজ মাস্টার বললেন, "স্যার আজকে তো দেখে গেলেন। আপনাকে কিন্তু একবার বেশ কয়েকদিনের জন্যে আসতেই হবে!"

আমি অন্যমনস্কভাবে মাথা নেড়ে বললাম, "আসব। নিশ্চয়ই আসব।"

"আমি যোগাযোগ রাখব স্যার।"

"রাখবেন।"

"আমি নিজে গিয়ে আপনাকে নিয়ে আসব স্যার।"

আমি অন্যমনস্কভাবে বললাম, "ঠিক আছে।"

বাঘাইকান্দি গ্রামের বিখ্যাত বটগাছ এবং গোরস্তান দেখে যখন আমরা ফিরে এলাম তখন সূর্য ঢলে পড়ে বিকেল হয়ে এসেছে।

সত্যি সত্যি আমি আবার কখনো বাঘাইকান্দি গ্রামে যাব ভাবি নি। কিন্তু মাস তিনের পর হঠাৎ একদিন আজীজ মাস্টারের একটা চিঠি এসে হাজির। সেখানে নানা ধরনের ভূমিকার পর লেখা—

"... আগামী ১৫ই আষাঢ় পূর্ণিমার রাত। এখন বর্ষাকাল, আকাশে মেঘের ঘনঘটা। মেঘের ফাঁকে যখন পূর্ণিমার চাঁদ উঁকি দেয় সেই দৃশ্য অতীব মনোহর। মেঘনা নদীর তীরে বসিয়া আপনাকে সেই দৃশ্য দেখিবার আমন্ত্রণ জানাইবার জন্যে এই পত্র লিখিতেছি। আপনি অনুমতি দিলে আমি নিজে আসিয়া আপনাকে লইয়া যাইব।..."

এরপর আমি উপস্থিত হলে বাঘাইকান্দি গ্রামের মাটি কীভাবে "ধন্য" হয়ে যাবে তার একটা মোটামুটি চমকপ্রদ বর্ণনা আছে। হিসেব করে দেখতে

পেলাম আজীজ মাস্টার যে সময়ের কথা বলেছেন সেই সময়ে আমি সত্যি সত্যি নির্ঝঞ্ঝাট, সত্যি সত্যি আমার নিরিবিলি বসে খানিকটা লেখাপড়া করা দরকার এবং সে কারণে বাঘাইকান্দিতে গিয়ে এক সপ্তাহ কাটিয়ে সেখানকার মাটিকে "ধন্য" করে দিয়ে এলে এক ঢিলে বেশ কয়েকটা পাখি মারা যায়। কাজেই আমি আজীজ মাস্টারের চিঠির উত্তর দিলাম এবং তিনি সত্যি সত্যি একদিন আমাকে নিয়ে যাবার জন্যে দলবল নিয়ে হাজির হয়ে গেলেন।

ভোরবেলা রওনা দিয়ে বাঘাইকান্দি গ্রামে আমি যখন পৌঁছেছি তখন সন্ধে হয়ে গেছে। শেষবার এসেছি গরমের সময়ে, নদীর পানি ছিল কম। এখন বর্ষা নেমেছে নদীর পানি ফুলে-ফেঁপে উঠেছে। একটু আগে একপশলা বৃষ্টি হয়ে গেছে, বাতাসে ভেজা এক ধরনের সজীবতা। আকাশে বড় একটা চাঁদ উঠেছে, মেঘ কেটে সেই চাঁদ চারিদিকে নরম একটা আলো ছড়িয়ে দিয়েছে। আমি অবশ্যি কিছুই উপভোগ করার সুযোগ পাচ্ছি না, কারণ আমাকে তোলা হয়েছে চেয়ারম্যানের বাড়ি এবং গ্রামের গণ্যমান্য মানুষ সেখানে হাজির হয়েছেন। খাবারের আয়োজন হচ্ছে এবং যতক্ষণ খাবার দেয়া না হচ্ছে ততক্ষণ আলোচনা চলছে। আমাকে কোথায় রাখা যায় সেটিই হচ্ছে আলোচনার বিষয়বস্তু। যে মানুষটি সবচেয়ে বেশি কথা বলছে সে সম্ভবত গ্রামের বড় মাতব্বর। সবাই তাকে মুসলিম চাচা বলে ডাকছে। মানুষটি গম্ভীর হয়ে বলল, "এই স্যারকে মনে হয় চেয়ারম্যান বাড়িতেই রাখতে হবে।"

আমি একটু অবাক হয়ে বললাম, "আমি নদীতীরের সেই ছোট ঘরটিতে থাকব।"

আমি খুব একটা অশালীন কথা বলে ফেলেছি সেরকম ভঙ্গি করে কয়েকজন জিবে কামড় দিলেন। মুসলিম চাচা বললেন, "আপনি ঐখানে একলা থাকবেন কীভাবে? ঝড়বৃষ্টির সময়—"

আমি বললাম, "আমি একলা থাকার জন্যেই এসেছি। লোকজনকে নিয়ে থাকতে হলে আমি যেখানে ছিলাম সেখানেই থাকতাম।"

মুসলিম চাচা গম্ভীর মুখে বললেন, "আপনি চাইলেই তো হবে না! আমাদের একটা দায়িত্ব আছে না? যদি আপনার কিছু একটা হয়?"

"আমার কী হবে?"

"এমনিতে ঝড়বৃষ্টির কাল তার ওপর যদি—" মুসলিম চাচা হঠাৎ কথা বলা বন্ধ করে থেমে গেলেন।

আমি একটু অবাক হয়ে বললাম, "যদি কী?"

অন্য একজন তখন বললেন, "আরে না! এই রাত্রিবেলা এখন এই সব নিয়ে কথা বলা ঠিক না।"

কাজেই কেউ আর বিষয়টি নিয়ে কথা বলতে রাজি হলো না। আমি কথাটি শোনার জন্যে চাপাচাপি করলাম না, গ্রামের মানুষ প্রায় সময়েই কুসংস্কারের ডিপো হয়— খামোখা তাদের সব কথায় গুরুত্ব দিতে নেই।

গ্রামের সবাই মিলে আমাকে চেয়ারম্যান বাড়ির বাংলাঘরে শোওয়ার ব্যবস্থা করে ফেলছিল। আমি গোঁ ধরে থাকলাম, আমি নদীতীরের ছোট ঘরটাতে থাকব। আজীজ মাস্টার শেষ পর্যন্ত আমার পক্ষ নেয়ায় তাদের অনেক কষ্টে রাজি করানো গেলো। রাতের খাওয়াদাওয়ার পর হারিকেন এবং টর্চলাইট জ্বালিয়ে কয়েকজন মিলে আমাকে নদীতীরের ছোট ঘরটাতে পৌঁছে দিয়ে গেলো।

শোওয়ার এবং থাকার সব ব্যবস্থা করে দিয়ে ফিরে যাওয়ার সময় আজীজ মাস্টার বললেন, "স্যার, যাবার আগে একটা কথা বলে যাই।"

"কী কথা?"

"রাতবিরেতে যদি কিছু দেখেন ভয় পাবেন না।"

আমি অবাক হয়ে বললাম, "কী দেখব?"

"কারো ক্ষতি করে না।"

আমি আরো অবাক হয়ে বললাম, "কে কারো ক্ষতি করে না?"

"গ্রামের অনেকেই দেখেছে। যারা দেখে নাই তারা শুনেছে।"

আজীজ মাস্টারের এরকম হেঁয়ালি টাইপের কথা শুনে আমি একটু বিরক্ত হয়ে বললাম, "কী বলবেন পরিষ্কার করে বলে ফেলেন। আপনি কার কথা বলছেন?"

"নিশিকন্যা।"

"নিশিকন্যা?"

"হ্যাঁ। রাত্রি বেলা বের হয়।"

"সেটি কে?"

"কেউ জানে না। তবে রাত্রে তাদের নাম নেওয়া ঠিক না।"

আমি বেশ অবাক হয়ে আজীজ মাস্টারের দিকে তাকালাম— এই নূতন সহস্রাব্দে এসে আমায় যদি ভূত-প্রেতের কথা শুনতে হয় তাহলে তো মুশকিল। আজীজ মাস্টার আমার মুখ দেখে কিছু একটা আন্দাজ করতে পারল, ইতস্তত করে বলল, "স্যার, আপনারা শহরে থাকেন, সেখানে এক রকম জীবন। গ্রামের জীবন অন্যরকম— অনেক বিচিত্র জিনিস থাকে গ্রামে!"

"তাই তো দেখতে পাচ্ছি।"

"একটু সাবধানে থাকবেন স্যার। শব্দ শুনলেই ঘর থেকে বের হবেন না। এখনো কারো কোনো ক্ষতি করে নাই কিন্তু আপনি বিদেশী মানুষ—"

আমি হাসব না কাঁদব বুঝতে পারলাম না। আজীজ মাস্টারকে বললাম, "ভূত প্রেত দত্যি দানব এইসবে আমার ভয় নাই। আমার ক্ষতি করতে চাইলেও আপত্তি নাই। তবে চোর ডাকাতের উৎপাত থাকলে বলেন।"

আজীজ মাস্টার জিবে কামড় দিয়ে বললেন, "বাঘাইকান্দি গ্রামে চোর ডাকাতের কোনো উৎপাত নাই স্যার! আপনি ঘরের দরজা খুলে ঘুমান কেউ একটা সুতাও নিয়ে যাবে না!"

"তাহলেই হলো!"

আমি হারিকেনের আলো উসকে দিয়ে ঘরের একমাত্র টেবিলে কাগজপত্র বের করে চেয়ারে বসলাম, বললাম, "অনেক কাজ বাকি, কাজ শুরু করে দিচ্ছি আমি।"

ইঙ্গিতটি স্পষ্ট, আজীজ মাস্টার তখন তখনই চলে যাবার জন্যে উঠে দাঁড়ালেন।

রাত বারোটা পর্যন্ত লেখালেখি করে আমি শুতে গেলাম। নূতন জায়গায় ঘুম আসতে একটু দেরি হচ্ছিল কিন্তু শেষ পর্যন্ত নদীর শব্দ শুনতে শুনতে আমি ঘুমিয়ে পড়লাম।

গভীর রাতে হঠাৎ আমার ঘুম ভেঙ্গে গেল। কেন হঠাৎ করে ঘুম ভেঙ্গেছে আমি বুঝতে পারলাম না, খানিকক্ষণ নিঃশব্দে শুয়ে থাকি এবং তখন শুনতে পেলাম খুব নিচু স্বরে কেউ একজন কাঁদছে, আমি নিশ্বাস বন্ধ করে শোনার চেষ্টা করলাম তখন মনে হলো ঠিক কান্না নয় একটি মেয়ে নিচু স্বরে গান গাইছে, কথাগুলো শোনা যাচ্ছে না কিন্তু খুব করুণ সুর, মনে হয় কারো মনে কিছু একটা নিয়ে খুব কষ্ট। আমি ভূত-প্রেত বিশ্বাস করি না, অলৌকিক কিছু বিশ্বাস করি না কিন্তু গভীর রাতে এই নির্জন নদীতীরে হঠাৎ করে নারীকণ্ঠে এই করুণ গানের সুর শুনে আমার শরীর কাঁটা দিয়ে উঠল। আমি নিঃশব্দে বিছানায় উঠে বসে জানালা দিয়ে বাইরে তাকালাম, আকাশে মেঘের আড়ালে চাঁদ ঢাকা পড়ে আছে, বাইরে আবছা অন্ধকার। তার মাঝে মনে হলো একটা নারীমূর্তি বারান্দায় হাঁটু মুড়ে বসে আছে। আমি নিশ্বাস বন্ধ করে তাকিয়ে রইলাম, দেখতে পেলাম খুব ধীরে ধীরে সেই ছায়ামূর্তিটি উঠে দাঁড়ালো

তারপর হেঁটে হেঁটে নদী তীরের দিকে হেঁটে গেলো। নদীর তীরে বাধানো বেদীর উপরে গিয়ে মূর্তিটি দাঁড়িয়ে থাকে, আকাশে মেঘ জমেছে হঠাৎ করে বিদ্যুৎ চমকে ওঠে এবং ছায়ামূর্তিটি দুই হাতে মুখ ঢেকে আর্তনাদ করে ওঠে! মনে হলো তাকে কিছু একটা আঘাত করেছে, ছায়ামূর্তিটি নিচে লুটিয়ে পড়ল, আবার বিদ্যুৎ চমকে উঠতেই ছায়ামূর্তিটি উঠে দাঁড়ায় তারপর যন্ত্রণায় কাতর শব্দ করে ছুটতে থাকে— কিছুক্ষণের মাঝেই দূরে গাছপালার মাঝে সে অদৃশ্য হয়ে যায়। আমার যতদূর মনে পড়ে বাঘাইকান্দি গ্রামের প্রাচীন গোরস্তানটা সেদিকে। আমার শরীর হঠাৎ আতংকে শিউরে উঠল।

আমি দীর্ঘসময় চুপচাপ বসে রইলাম, মনে হলো নিশ্বাস নিতেও ভুলে গেছি। কিছুক্ষণের মাঝেই কয়েকবার বিজলি চমকে হঠাৎ করে বৃষ্টি হতে শুরু করল। প্রথমে ঝিরঝির করে তারপর ঝমঝম করে। আমি নিঃশব্দে আমার বিছানায় বসে থাকি, একটু পরে লক্ষ্য করলাম, আমার হাত অল্প অল্প কাঁপছে।

ভোরবেলা আজীজ মাস্টার আমার জন্যে নাস্তা নিয়ে এলো, বিশাল গোলাকৃতি পরোটা, সেদ্ধ ডিম এবং ফ্লাস্কে করে চা। আমি এর আগে কখনো সেদ্ধ ডিম দিয়ে পরোটা খাই নি এবং কেউ যে সেটা খেতে পারে সেটা জানতামও না। কিন্তু অবাক হয়ে লক্ষ্য করলাম যে, বেশ তৃপ্তি করে বিশাল ডালার মতো দুই দুইটা পরোটা সিদ্ধ ডিম দিয়ে খেয়ে ফেললাম। এমন কী পায়েশের মতো চা'টাও বেশ তৃপ্তি করে খেলাম। আজীজ মাস্টারও আমার সাথে চা খেতে খেতে বলল, "স্যার, আপনার কথাটা আমি খুব ভালো করে চিন্তা করেছি।"

"কোন কথাটা?"

"ঐ যে আপনি বললেন আপনি ভূত-প্রেত বিশ্বাস করেন না।"

"চিন্তা করে কী দেখলেন?"

"চিন্তা করে দেখলাম, আসলে ভূত বলে কিছু নাই! এই যে মনে করেন নিশিকন্যার ব্যাপারটা, কেউ কিন্তু নিজে সেটা দেখে নাই। একজনকে জিজ্ঞেস করলে বলে সে দেখে নাই আরেকজন দেখেছে! আরেকজনকে জিজ্ঞেস করলে বলে সেও দেখে নাই আরেকজন দেখেছে। আমার মনে হয় আসলে কেউই দেখে নাই।"

আমি কোনো কথা না বলে চুপ করে রইলাম। আজীজ মাস্টার বলল, "গ্রামের একেকটা মানুষ হচ্ছে কুসংস্কারের একেকটা বস্তা! আপনি এসেছেন

ভালোই হলো আপনাকে দিয়েই গ্রামের একটা উপকার করব। আপনি স্যার একটা ঘোষণা দেবেন—"

"কী ঘোষণা দেব?"

"ঘোষণা দেবেন যে নিশিকন্যা বলে কিছু নাই। এবং কেউ যদি নিশিকন্যা দেখাতে পারে তাহলে তাকে একটা পুরস্কার দেওয়া হবে।"

আমি কিছুক্ষণ চুপ করে থেকে বললাম, "মাস্টার সাহেব, কাল রাত্রে আমি আপনাদের নিশিকন্যাকে দেখেছি।"

আজীজ মাস্টারের হাতে গরম চায়ের কাপ ছিল, আমার কথা শুনে তার চায়ের কাপ থেকে গরম চা তার শরীরে ছলকে পড়ল, সে এতো হতবাক হয়েছিল সে সেটা টের পর্যন্ত পেলো না। সে কয়েকবার চেষ্টা করে বলল, "আ-আ-আপনি দেখেছেন?"

আমি মাথা নাড়লাম।

"নি-নিজের চোখে দেখেছেন?"

আমি মাথা নেড়ে বললাম, "হ্যাঁ নিজের চোখে দেখেছি।"

আজীজ মাস্টার কিছুক্ষণ শূন্য দৃষ্টিতে আমার দিকে তাকিয়ে থেকে বলল, "তার মনে নিশিকন্যা সত্যি! ভূত-প্রেত সত্যি!"

আমি আপত্তি করে বললাম, "আমি সেটা বলি নি। আমি বলেছি যে আমি গতরাতে নদীর ঘাটে একটা মেয়েকে দেখেছি! খুবই বিচিত্র মেয়ে— গভীর রাতে দেখে আমি রীতিমতো ভয় পেয়েছিলাম, কিন্তু সেটা ভূত তা আমি বলি নি!"

"তাহলে সেটা কী?"

"হতে পারে কোনো মানসিক রোগী।"

"এই গ্রামে কোনো মানসিক রোগী নাই। কোনো পাগল নাই। মাথা খারাপ নাই। আমি সবাইরে চিনি।

আমি বললাম, "হতে পারে হঠাৎ হঠাৎ সে অস্বাভাবিক কিছু করে।"

আজীজ মাস্টার মাথা নাড়ল, বলল, "যদি সেরকম কিছু হতো তাহলে তার ফেমিলির মানুষ জানতো!"

"হতে পারে তাহলে অন্য গ্রাম থেকে এসেছে!"

"জী না স্যার। বর্ষাকালে বাঘাইকান্দি গ্রাম একটা দ্বীপের মতোন, অন্য গ্রাম থেকে কেউ আসতে পারে না, অন্য গ্রামে কেউ যেতেও পারে না।"

আমি কী বলব বুঝতে পারলাম না। ইতস্তত করে বললাম, "কিন্তু তাই বলে তো সত্যি সত্যি ভূত হতে পারে না।"

"কেন হতে পারে না!"

"কারণ ভূত বলে কিছু নাই।"

আজীজ মাস্টার চোখ কপালে তুলে বলল, "আপনি নিজের চোখে দেখেও বিশ্বাস করবেন না!"

"আমি কোনো ভূত দেখি নাই। একটা মেয়েকে দেখেছি।"

"কী করেছে সেই মেয়ে?"

আমি তখন গতরাতের ঘটনা খুলে বললাম, যখন ছুটে চলে যাবার কথা বলেছি তখন আজীজ মাস্টার বিস্ফারিত চোখে বলল, "কোন দিকে গেছে বললেন?"

আমি হাত দিয়ে দূরের গাছপালাগুলো দেখিয়ে দিতেই আজীজ মাস্টার শিউরে উঠল, বলল, "সর্বনাশ! ওদিকে তো গোরস্তান।"

"তাতে কী হয়েছে?"

"তারপরেও আপনি বলছেন এইটা ভূত না।"

"বলছি। ভূত বলে কিছু নাই।"

আজীজ মাস্টার খানিকক্ষণ চোখমুখ কুঁচকে কোনো একটা জিনিস নিয়ে গভীরভাবে চিন্তা করে বলল, "মনে হয় সুলতানের বউ।"

"কার বউ?"

"সুলতানের বউ। কয়দিন আগে এক্লেমশিয়া হয়ে মারা গেছে।"

আমি কী বলব বুঝতে পারলাম না। আজীজ মাস্টার বলল, "প্রদীপের বউও হতে পারে। গত বছর গলায় দড়ি দিয়েছিল।"

আমি মাথা নেড়ে বললাম, "না মাস্টার সাহেব, আমি যেহেতু নিজের চোখে দেখেছি, এটি ভূত-টূত কিছু নয়। এটা একজন মানুষ। আপনি ভালো করে খোঁজ নেন, আপনাদের গ্রামে নিশ্চয়ই কেউ আছে যে মানসিকভাবে অসুস্থ, যার কথা আপনি জানেন না।"

ছোট বাচ্চারা অর্থহীন কথা বললে বড়রা যেভাবে তাদের দিকে তাকায় আজীজ মাস্টার ঠিক সেভাবে আমার দিকে তাকাল।

আমি এসেছিলাম এখানে নিরিবিলি কাজ করতে কিন্তু মনে হলো সেটি আর সম্ভব হবে না। কিছুক্ষণের মাঝেই সারা গ্রামে রাষ্ট্র হয়ে গেলো যে গতরাতে আমি নিশিকন্যাকে দেখেছি এবং যত সময় যেতে লাগলো সেই গল্পটি ততই ডালপালা গজিয়ে ছড়াতে লাগলো। আমার নিজের মুখ থেকে সেই গল্পটি শোনার জন্যে গ্রামের মানুষ এসে ভিড় করতে থাকে। একটু বেলা হতেই গ্রামের কিছু মুরুব্বীর সাথে চেয়ারম্যান এবং মুসলিম চাচাও এসে

হাজির হলেন। চেয়ারম্যান সাহেব বললেন, "স্যার গতরাত্রে নিশিকন্যা নাকি আপনার ওপর হামলা করেছে?"

আমি হাসার চেষ্টা করে বললাম, "জী না। হামলা করে নাই।"

মুসলিম চাচা মাথা নেড়ে বললেন, "শুক্কুর আলহামদুলিল্লাহ্! আমরা আরও শুনেছি আপনি রাত্রে ভয় পেয়েছেন।"

"জী না, আমি ভয় পাই নাই।"

চেয়ারম্যান সাহেব বললেন, "কিন্তু ব্যাপারটা তো ভয়ের— যদি কিছু একটা হতো?"

মুসলিম চাচা বললেন, "আপনি বিদেশী মানুষ। বাঘাইকান্দি গ্রামের মেহমান—"

আমি বললাম, "আমাকে নিয়ে চিন্তা করবেন না। আমি ভালোই আছি।"

"ভূত-প্রেতের ব্যাপার। সাবধান থাকা ভালো।"

আমি সারাদিনই চেষ্টা করেছি সবাইকে বোঝানোর জন্যে যে এটা ভৌতিক কিছু নয়, কিন্তু বিশেষ লাভ হয় নি। এখনও লাভ হবে না বলে আমি আর চেষ্টা করলাম না। চেয়ারম্যান সাহেব বললেন, "স্যার, আপনাকে আমরা নিতে এসেছি।"

"কোথায় নিতে এসেছেন?"

"আমার বাড়িতে। বাংলাঘরে আপনার শোওয়ার ব্যবস্থা করেছি।"

"কেন?"

"এইখানে আপনাকে আর থাকতে দেওয়া যায় না। কখন কী বিপদ হয়!"

আমি হেসে বললাম, "কোনো বিপদ হবে না। আপনারা নিশ্চিন্ত থাকেন।"

গ্রামের মুরুব্বী, চেয়ারম্যান সাহেব আর মুসলিম চাচা সবাই মিলে অনেক বোঝানোর চেষ্টা করল, কিন্তু আমি রাজি হলাম না!

দুপুরের দিকে যখন বুঝতে পারলাম আজকে আমার নিরিবিলি কাজ করার কোনো উপায় নেই— তখন আমি নিজেই আজীজ মাস্টারকে নিয়ে বের হয়ে গেলাম। আমার কাছে সবাই যেটা শুনতে চাইছে নিজেই যদি সেটা বলে দিয়ে আসি, হয়তো রাতে কিছু কাজ করতে পারব!

রাত্রিবেলা হারিকেন জ্বালিয়ে আমি কাজ করছি, এমন সময় মনে হলো বারান্দায় খুট করে একটা শব্দ হলো। আমি গলা উঁচিয়ে জিজ্ঞেস করলাম, "কে?"

বাইরে থেকে একজন মানুষ নিচু গলায় বলল, "আমি স্যার।"

আমি ঘড়িতে তাকিয়ে দেখি রাত দশটা, গ্রামের জন্যে রাত দশটা অনেক রাত, এতো রাতে কে এসেছে? আমি দরজা খুলে দিলাম, বাইরে দীর্ঘদেহী একজন মানুষ, মুখে বয়স এবং জীবন যুদ্ধের ছাপ। আমি একটু অবাক হয়ে তার দিকে তাকালাম, মানুষটি ইতস্তত বলে বলল, "স্যারকে এতো রাতে কষ্ট দিলাম।"

কষ্ট দিয়ে ফেলার পর সেটা নিয়ে কথা বলে লাভ নেই— আমি তাই ভদ্রতা করে বললাম, "না, কোনো কষ্ট নেই। ভিতরে আসেন।"

মানুষটি ভিতরে এলো, হ্যারিকেনের আলোতে দেখলাম, চেহারায় দারিদ্রের ছাপটি স্পষ্ট। তারপরেও চোখেমুখে এক ধরনের সম্ভ্রান্ত মানুষের চিহ্ন রয়েছে। মানুষের চেহারার ঠিক কোন অংশটি দিয়ে এই সম্ভ্রান্ত ভাবটি ফুটে ওঠে কে জানে। আমি সপ্রশ্ন দৃষ্টিতে মানুষটির দিকে তাকালাম, মানুষটি ইতস্তত করে দুর্বলভাবে হাসার চেষ্টা করে বলল, "গ্রামের মানুষের মুখে আপনার কথা শুনে আপনাকে দেখতে এসেছি।"

গ্রামের মানুষের মুখে ঠিক কী কথা শুনে এই গভীর রাতে আমাকে দেখতে এসেছে জানার একটু কৌতূহল হলো, কিন্তু আমি সে বিষয়ে কিছু বললাম না। আজ সকালে আজীজ মাস্টারের সাথে ঘুরতে বের হয়ে গ্রামের অনেক মানুষের সাথে দেখা হয়েছে, তখন এই মানুষটিকে দেখি নি, মানুষটিকে দেখলে মনে থাকতো। আমি বললাম, "বসেন।"

মানুষটি বসল না, দরজায় হেলান দিয়ে দাঁড়িয়ে রইল। মানুষটি যদিও বলছে সে আমাকে দেখতে এসেছে কিন্তু সেটি পুরোপুরি সত্যি কথা নয়— আজীজ মাস্টার গ্রামের সাধারণ মানুষের কাছে ছড়িয়ে দিয়েছে যে আমি খুব গুরুত্বপূর্ণ মানুষ এবং আমি নিরিবিলি বসে আরও গুরুত্বপূর্ণ একটি কাজ করছি— কেউ যেন আমাকে বিরক্ত না করে। কিন্তু তারপরেও যখন এই মানুষটি চলে এসেছে, তার নিশ্চয়ই কোন কারণ আছে। মানুষটি নিজে থেকে সেটা বলবে নাকি আমার খুঁচিয়ে খুঁচিয়ে সেটা বের করতে হবে সেটাই হচ্ছে প্রশ্ন।

আলোচনা শুরু করার জন্যে আমি বললাম, "আজ সকালে আমি আপনাদের গ্রাম দেখতে বের হয়েছিলাম। তখন আপনার সাথে দেখা হয় নাই।"

"আমি এই গ্রামের না।"

"ও! বেড়াতে এসেছেন?"

মানুষটি হাসার চেষ্টা করে বলল, "জী না। পেটের দায়ে ঘুরি, চেয়ারম্যান সাহেবের বাড়িতে কাজ করি।"

"কীসের কাজ?"

"পুকুরে মাছের চাষ করেন, সেটা দেখাশোনা করি।" একটু থেমে যোগ করল, "আমরা ভাটি অঞ্চলের মানুষ। বর্ষাকালে কাজকর্ম থাকে না তখন বের হই।"

"ও আচ্ছা।" এই দেশের কতো কিছু আমরা জানি না, আমার ধারণা ছিল বর্ষাকালে ভাটি অঞ্চলে কাজকর্ম আরো বেশি থাকবে। আলোচনা চালিয়ে যাবার জন্যে এরপর কী জিজ্ঞেস করা যায় চিন্তা করছি, তখন মানুষটি জিজ্ঞেস করল, "স্যার আপনি যে এই নদীর তীরে একলা একলা থাকেন, আপনার ভয় করে না?"

"কীসের ভয়?"

"ভূত-প্রেত?"

আমি হাসার ভঙ্গি করলাম, বললাম, "ভূত-প্রেত বলে কিছু নাই।"

"আপনি কেমন করে জানেন?"

"যদি থাকতো তাহলে বৈজ্ঞানিকরা সেটাকে ছোট শিশিতে ভরে ইলেকট্রিক ডিসচার্জ করে কী দিয়ে তৈরি বের করে ফেলতো।"

মানুষটা আমার কথা বুঝতে পারল না তাই উত্তরে কী বলবে ভেবে পেলো না। একটু ইতস্তত করে বলল, "আপনি তো অনেক জ্ঞানী মানুষ— আপনাকে একটা কথা জিজ্ঞেস করি।"

আমি যে সেরকম জ্ঞানী মানুষ নই কথাটা এখানে তোলা হলে হিতে বিপরীত হতে পারে, তাই মাথা নেড়ে স্বীকার করে নিয়ে বললাম, "করেন।"

মানুষটি গম্ভীর মুখে বলল, "মানুষ কী কখনো ভূত হতে পারে?"

আমি অবাক হয়ে মানুষটির মুখে তাকালাম, সে ঠিক কী জিজ্ঞেস করছে বুঝতে পারলাম না। বললাম, "আমি তো আপনাকে আগেই বলেছি ভূত বলে কিছু নাই, যে জিনিসটা নাই কেমন করে মানুষ সেটা হতে পারে?"

মানুষটাকে একটু বিভ্রান্ত দেখা গেলো, খানিকক্ষণ ইতস্তত করে বলল, "কিন্তু আমরা গ্রামের মানুষ তো বলি ভূত আছে। ভূতে নানারকম কাজকর্ম করে, মানুষ ভয় পায়।"

আমি হাসার চেষ্টা করে বললাম, "সেগুলো গল্প। ভূতের গল্প। গল্পে বলে মানুষ মরে গেলে ভূত হয়। যে মানুষ মারা যায় নাই সেই মানুষ ভূত হবে কেমন করে?"

মানুষটা কোনো কথা না বলে তীক্ষ্ণ দৃষ্টিতে আমার দিকে তাকিয়ে রইল। সেই দৃষ্টির সামনে আমি কেমন জানি অস্বস্তি বোধ করতে থাকি। খানিকক্ষণ অপেক্ষা করে বললাম, "আপনি কী আমাকে কিছু একটা বলার জন্যে এসেছেন?"

মানুষটি ব্যস্ত হয়ে মাথা নেড়ে বলল, "না-না-না, কিছু বলার জন্যে আসি নাই, এমনি আপনাকে দেখতে এসেছি।" সে হঠাৎ করে চলে যাবার জন্যে ব্যস্ত হয়ে গেল, বলল, "আপনারা জ্ঞানী গুণী মানুষ, আপনাদের সময়ের কতো দাম। আমি যাই। বেয়াদপি নিবেন না।"

আমি উঠে দাঁড়িয়ে বললাম, "আপনার পরিচয়টা তো জানা হলো না।"

"আমার নাম মাহতাব। মাহতাব মৃধা।"

"কোথায় থাকেন? চেয়ারম্যান সাহেবের বাড়িতে?"

"জী না। আমি নৌকায় থাকি।"

"নৌকায়? ভেরি ইন্টারেস্টিং!"

"জী। আমার স্ত্রী গত হয়েছে বারো বৎসর। পরিবার নাই, সংসার নাই তাই নৌকাতেই সংসার।"

"নৌকাটা রাখেন কোথায়?"

"এই তো এদিকে—" মাহতাব মৃধা যেভাবে বলল বুঝতে পালাম সে ঠিক বলতে চাইছে না। "একেকদিন একেক জায়গায় রাখি।"

মানুষটি হঠাৎ করে আমাকে কথা বলার সুযোগ না দিয়ে ঘর থেকে বের হয়ে হাঁটতে হাঁটতে অন্ধকারে মিলিয়ে গেলো। মানুষটির কথাবার্তা ভাবভঙ্গিতে বিচিত্র কিছু একটা ব্যাপার আছে, সেটা কী আমি ঠিক ধরতে পারলাম না।

গভীর রাতে আবার আমার ঘুম ভেঙ্গে গেলো, ঘরের বাইরে নারীকণ্ঠে কে যেন নিচু স্বরে গান গাইছে। আমি নিঃশব্দে বিছানায় উঠে বসলাম। জানালার ফাঁক দিয়ে বাইরে তাকালাম। ঘরের বারান্দায় পা দুলিয়ে একটি মেয়ে বসে আছে। অন্ধকারে চেহারা দেখা যায় না, গলার স্বরটি শোনা যায় কিন্তু কথা বোঝা যায় না। অকারণেই এক ধরনের অশরীরী আতংকে আমার বুকের ভেতরটা হিম হয়ে যায়।

মেয়েটি হঠাৎ করে উঠে দাঁড়ালো, তারপর হাঁটতে হাঁটতে নদীর ঘাটের দিকে এগিয়ে যেতে থাকে। আকাশের মেঘ কেটে হঠাৎ করে জ্যোৎস্নার নরম আলো ছড়িয়ে পড়ল, তার ভেতরে আমি স্পষ্ট দেখতে পেলাম কুকুরের মতো কিছু জন্তু মেয়েটির দিকে এগিয়ে যাচ্ছে। আমি আবার নিজের ভেতরে এক ধরনের আতংক অনুভব করি, মেয়েটি যেন বাতাসে ভাসতে ভাসতে এগিয়ে যাচ্ছে। নদীর ঘাটে মেয়েটি পা ছড়িয়ে বসে, জন্তুগুলি তাকে ঘিরে বসেছে। দূর থেকে পুরো দৃশ্যটি এতো অশরীরী এবং অলৌকিক যে আমার সমস্ত শরীর কাঁটা দিয়ে ওঠে।

আকাশে আবার মেঘ জমে ওঠে, চাঁদ ঢাকা পড়ে যায়— তার ভেতরে আবছা অন্ধকারে দেখতে পেলাম নিশিকন্যা সিঁড়ি দিয়ে নদীর দিকে এগিয়ে যাচ্ছে। পিছু পিছু সেই জন্তুগুলো।

ভোরবেলা আজীজ মাস্টার আবার ডালার মতো বড় বড় গোলাকৃতি পরোটা, সেদ্ধ ডিম এবং গরম চা নিয়ে এলো। গতকালকের মতো আজকেও আমি সেটা বেশ তৃপ্তি করেই খেলাম। আবার নিশিকন্যা নিয়ে আলোচনা উঠল, কিন্তু আজকে আমি গতকালকের মতো কোনো ভুল করলাম না, রাতে কী দেখেছি সেটা তাকে বললাম না। আজীজ মাস্টার খানিকক্ষণ গল্পগুজব করে চলে গেলেন। চেয়ারম্যান সাহেব এবং মুসলিম চাচা এলেন ঘণ্টাখানেক পরে— তারাও আমার খোঁজখবর নিয়ে গেলেন।

সারা দিন ঝিরঝির করে বৃষ্টি হলো, কাজের ফাঁকে ফাঁকে আমি বারান্দায় বসে আকাশের মেঘ এবং মেঘনা নদীকে দেখে সময় কাটিয়ে দিলাম। নির্জন নদীতীরে ঝিরঝিরে বৃষ্টির ভেতরে উত্থাল নদীটির মাঝে এক ধরনের অসাধারণ সৌন্দর্য লুকিয়ে রয়েছে, আমি বুভুক্ষের মতো সেই সৌন্দর্যটি অনুভব করার চেষ্টা করলাম। ঘুরেফিরে আমার নিশিকন্যার কথা মনে হলো। গভীর রাতে তাকে যখন দেখেছি প্রতিবারই আমি এক ধরনের আতংক অনুভব করেছি। দিনের বেলা সেই কথাটি ভেবে আমার লজ্জা হতে থাকে। আজ রাতেও যদি নিশিকন্যা আসে আমি তার সাথে কথা বলার চেষ্টা করব। এই মেয়েটি খুব বেশি হলে এক ধরনের মানসিক রোগী, তাকে দেখে তার জন্যে দুঃখ হতে পারে, কিন্তু ভয় পাওয়ার তো কিছু নেই!

গভীর রাতে নারীকণ্ঠের নিচু গলার গান শুনে আবার আমার ঘুম ভেঙ্গে গেলো। আমি সাবধানে বিছানায় উঠে বসে জানালা দিয়ে তাকিয়ে দেখি

নিশিকন্যা সেই একই জায়গায় একই ভঙ্গিতে বসে গান গাইছে। আমি সাহস সঞ্চয় করে উঠে দরজায় হাত দিলাম, ছিটকিনি খোলার শব্দ হওয়ার সাথে সাথে বাইরে গানের শব্দ থেমে গেলো। আমি সাবধানে দরজা খুললাম, সাথে সাথে নিশিকন্যা ছিটকে সরে গেলো। তাকে ঘিরে বড় বড় কয়েকটা কুকুর হিংস্র গলায় আমার দিকে মুখ করে চিৎকার করতে থাকে। মনে হতে থাকে এক্ষুনি আমার ওপর ঝাঁপিয়ে পড়ে আমাকে টুকরো টুকরো করে ফেলবে। আমি অনেক কষ্টে নিজেকে শান্ত রেখে গলা উঁচিয়ে বললাম, "এই যে মেয়ে, শুনো—"

নিশিকন্যা ছিটকে আরো কয়েক পা পিছিয়ে গেলো। আমি দরজা খুলে বাইরে বের হয়ে এসে আবার ডাকলাম, বললাম, "তোমার কোনো ভয় নেই। শুনো—"

নিশিকন্যা দুর্বোধ্য গলায় কী একটা বলতে বলতে চিৎকার করতে করতে নদীতীরের দিকে ছুটে গেলো। আমি বারান্দায় নিঃশব্দে দাঁড়িয়ে রইলাম। আকাশ কালো করে মেঘ জমেছে, কয়েকবার বিদ্যুৎ চমকে উঠে হঠাৎ ঝমঝম করে বৃষ্টি শুরু হলো। সেই বৃষ্টির শব্দ শুনে অকারণেই আমার মন খারাপ হয়ে গেলো।

সারাটা দিন বসে বসে লিখেছি। ঝিরঝির করে সারা দিন বৃষ্টি হয়েছে, ছোট ঘরটা থেকে একবারও বের হইনি। রাতের খাবার নিয়ে এসেছিল আজীজ মাস্টার, খাবার রেখে চলে গেছে। রাতে খেয়ে খানিকক্ষণ বারান্দায় বসেছিলাম, তারপর আবার লিখতে বসেছি। রাত বারোটার দিকে হঠাৎ করে দরজায় টুক টুক করে শব্দ হলো, দরজা খুলে দেখি মাহতাব মৃধা দাঁড়িয়ে আছে। আমি অবাক হয়ে বললাম, "আপনি? এতো রাত্রে?"

মাহতাব মৃধা মুখ কাচুমাচু করে বলল, "ইচ্ছা করে একটু রাত করে আসলাম, কিছু মনে করবেন না।"

"ঠিক আছে। আসেন ভেতরে আসেন। কী ব্যাপার?"

মাহতাব মৃধা সেদিনের মতো দরজায় হেলান দিয়ে দাঁড়িয়ে রইল। খানিকক্ষণ ইতস্তত করে বলল, "স্যার আপনার কাছে আমি একটা কথা বলতে এসেছি।"

"কী কথা?"

"কীভাবে আপনার কাছে বলব সেটা বুঝতে পারছি না।"

"সোজাসুজি বলে ফেলেন, কোনো সমস্যা নেই।"

মাহতাব মৃধা মাথা নাড়ল, বলল, "বললে আপনি বিশ্বাস করবেন কী না জানি না। আপনার কাছে অনুরোধ আপনি আমার কথা বিশ্বাস করবেন। অনেক বিপদে পড়ে এসেছি—"

"আগে শুনি আপনার কথা।"

মাহতাব মৃধা কেশে গলা পরিষ্কার করে বলল, "প্রায় আঠারো বিশ বছর আগের ঘটনা। আমার পরিবার তখন পোয়াতি—"

মাহতাব মৃধা হঠাৎ কথা বন্ধ করে কান খাড়া করে কিছু একটা শোনার চেষ্টা করল। আমি জিজ্ঞেস করলাম, "কী হয়েছে?"

"মানুষের শব্দ।"

"মানুষের শব্দ?"

"জী স্যার— শুনেন?"

আমি কিছু শুনতে পেলাম না, শহরের হৈচৈ চেঁচামেচির মাঝে থেকে থেকে শোনার ক্ষমতা নিশ্চয়ই অনেক কমে গেছে। দরজা খুলে ঘরের বাইরে এসে সত্যি সত্যিই অনেক দূর থেকে ভেসে আসা অনেক মানুষের চেঁচামেচি শুনতে পেলাম। মাহতাব মৃধা বলল, "এই দিকেই আসছে।"

"কারা আসছে?"

"গ্রামের মানুষ।"

"কেন আসছে?"

"জানি না স্যার।" মাহতাব মৃধার মুখ হঠাৎ কেমন জানি রক্তহীন ফ্যাকাসে হয়ে যায়।

মাহতাব মৃধা কী বলতে এসেছিল সেটা চাপা পড়ে গেলো, আমরা বারান্দায় দাঁড়িয়ে উৎসুক হয়ে তাকিয়ে রইলাম। কিছুক্ষণের মাঝেই দেখতে পেলাম গ্রামের রাস্তা ধরে অনেক মানুষ এগিয়ে আসছে। তাদের হাতে মশাল, লাঠিসোঁটা, তারা চিৎকার করতে করতে আসছে। আমার ঘরের কাছাকাছি আসতেই আমি ভিড়ের মাঝে আজীজ মাস্টার, চেয়ারম্যান সাহেব এবং মুসলিম চাচাকে দেখতে পেলাম। তাদের পিছু অসংখ্য মানুষ, সবার হাতে লাঠি সড়কি এবং মশাল। মুসলিম চাচার হাতে একটা দো-নলা বন্দুক। আমাকে দেখে সবাই আমার কাছে এগিয়ে এলো, আমি ভয় পাওয়া গলায় জিজ্ঞেস করলাম, "কী হয়েছে?"

আজীজ মাস্টার বলল, "সর্বনাশ হয়ে গেছে স্যার।"

"কী সর্বনাশ হয়েছে?"

"মুসলিম চাচার ভাতিজাকে নিশিকন্যা খুন করে ফেলেছে।"

আমি চমকে উঠে বললাম, "কী বললেন?"

মুসলিম চাচা হাউমাউ করে কেঁদে উঠে বললেন, "বাপমরা আমার একমাত্র ভাতিজাকে হারামজাদী খুন করে ফেলেছে— লাশ নিয়ে চলে গেছে!"

"কী বলছেন আপনি?"

মুসলিম চাচা পাঞ্জাবির হাতায় নাক মুছে বললেন, "ভাই মারা যাবার সময় আমার হাত ধরে বলেছিল, একমাত্র ছাওয়াল আমার তুই দেখে রাখিস— আমি দেখে রাখতে পারলাম না—" মুসলিম চাচা আবার হাউমাউ করে কেঁদে উঠলেন।

আজীজ মাস্টার বলল, "নিশিকন্যা লাশ নিয়ে চলে গেছে!"

"লাশ নিয়ে চলে গেছে!"

মুসলিম চাচা মাথা নাড়লেন। বললেন, "আমার চোখের সামনে ঘটনাটা ঘটলো। রাত্রিবেলা হঠাৎ শুনি গোঁ গোঁ শব্দ। ঘুম থেকে উঠে দরজা ধাক্কা দিতেই দেখি নিশিকন্যা ছাওয়ালটার গলা কামড়ে ধরেছে— আমাকে দেখে চিৎকার দিয়ে ছাওয়ালটারে নিয়ে জানালা দিয়ে লাফ দিলো—"

আমি হতবাক হয়ে মুসলিম চাচার দিকে তাকিয়ে রইলাম।

আজীজ মাস্টার বলল, "সারা ঘরে খালি রক্ত আর রক্ত।"

"আপনারা এখন কোথায় যাচ্ছেন?"

"নিশিকন্যা এই লাশ নিয়ে জঙ্গলে লুকিয়ে আছে। খুঁজে বের করে গুলি করে মারব।"

মানুষজন চিৎকার করতে লাগলো, "খুন করে ফেলব।" "জবাই করে ফেলব।" "পুড়িয়ে মারব।" "কেটে টুকরো টুকরো করে ফেলব!"

চেয়ারম্যান সাহেব বললেন, "দেরি করো না, হারামজাদী পালিয়ে যাবে।"

সবাই তখন হৈচৈ করে জঙ্গলের দিকে যেতে থাকে। আমার কাছে মাহতাব মৃধা এসেছিল কিছু একটা বলতে। সেও নিশ্চয়ই গ্রামের মানুষের সাথে চলে গেছে। আমি পাথরের মূর্তির মতো কিছুক্ষণ দাঁড়িয়ে রইলাম, এখনো পুরো ব্যাপারটি আমি বুঝতে পারছি না! নিশিকন্যাকে আমি এক দুইবার দেখেছি, মনে হয়েছে অপ্রকৃতস্থ একটা মেয়ে— তাই বলে একটা ছোট বাচ্চার গলা দাঁত দিয়ে ছিঁড়ে ফেলবে, সেটা কখনো কল্পনা করি নি। মানুষজন

যখন বেশ অনেক দূর এগিয়ে গেছে তখন আমি সম্বিৎ ফিরে পেলাম। ঘরে ঢুকে জুতো পরে ছয় ব্যাটারীর বড় টর্চ লাইটটা নিয়ে আমি পুরো দলটার পিছু পিছু এগিয়ে গেলাম।

গ্রামের সব মানুষ জঙ্গলটাকে ঘিরে ফেলে চিৎকার করছে। হাতে লাঠি এবং সড়কি, মশালের আগুনে তাদের ক্রোধোন্মত্ত চেহারা, চিৎকার— সব মিলিয়ে কেমন জানি ভয়ংকর একটা পরিবেশ। আমি একটু দূরে দাঁড়িয়ে এই মানুষগুলোর দিকে তাকিয়ে থাকি। কিছুক্ষণ আগেও এরা ছিল সহজ সাধারণ মানুষ, অথচ কী দ্রুত এরা হিংস্র মানুষে পাল্টে গেছে! তারা যদি নিশিকন্যাকে খুঁজে পায় মুহূর্তে কী তাকে ছিঁড়ে টুকরো টুকরো করে ফেলবে না? আমার সারা শরীর হঠাৎ গুলিয়ে আসে।

মানুষগুলো লাঠি দিয়ে গাছপালায় শব্দ করতে করতে এগিয়ে যাচ্ছে, শুকনো বাঁশের মাঝে আগুন লাগিয়ে মশাল তৈরি করছে, ঠাস ঠাস শব্দ করে বাশের গিট ফুটছে— তার সাথে মানুষের হিংস্র চিৎকার। হঠাৎ একটা ভয়ংকর শোরগোল উঠল। আমি দেখতে পেলাম একটা বড় গাছের আড়ালে লুকিয়ে থাকা নিশিকন্যা তীক্ষ্ণ গলায় চিৎকার করতে করতে ছুটে বের হয়ে এলো। তার পিছুপিছু অসংখ্য মানুষ লাটি সড়কি নিয়ে ছুটে আসে, কিন্তু মেয়েটি ক্ষীপ্র হরিণীর মতো তাদের ফাঁক গলিয়ে ছুটে বের হয়ে গেলো। গ্রামের মানুষ হইহই করে নিশিকন্যার পিছুপিছু ছুটতে থাকে— আমি আতংকে নিশ্বাস বন্ধ করে থাকি, ধরতে পারলে মুহূর্তের মাঝে তাকে সবাই মিলে কী খুন করে ফেলবে না।

কিন্তু মানুষেরা তাকে খুঁজে পেলো না, সে নাকি ছুটে গোরস্তানের মাঝে লুকিয়ে গেছে। মানুষজন গোরস্তানটা ঘিরে ফেলে, তারপর ভেতরে ঢুকে খুঁজতে থাকে। প্রাচীন গোরস্তানের ভেতর বড় বড় গাছ, ঝোপঝাড় লাঠি দিয়ে খুঁচিয়ে খুঁচিয়ে মশালের আগুনে সবাই দেখছে। কিন্তু নিশিকন্যা মনে হয় বাতাসের মাঝে উবে গেছে। তন্ন তন্ন করে খুঁজেও কেউ নিশিকন্যাকে খুঁজে পেলো না। এর মাঝে হঠাৎ কয়েকবার বিদ্যুৎ চমকে বৃষ্টি শুরু হয়ে গেলো, মশালের আগুন নিভে গেছে, অন্ধকারে খোঁজাও কঠিন হয়ে গেলো। যখন সবাই ঘিরে রেখেছিল তখনই সে হরিণীর মতো পালিয়ে গেছে, এই অন্ধকারে তাকে আর কে খুঁজে পাবে?

কাজেই আজ রাতের মতো খোঁজাখুজি বন্ধ করে সবাই গ্রামে ফিরে যেতে শুরু করল। আজীজ মাস্টার বলল, "স্যার চলেন যাই।"

আমি অন্যমনস্কের মতো বললাম, "হুঁ। চলেন।" কিন্তু আমি তাদের সাথে চলে গেলাম না, একটু পিছিয়ে গোরস্তানে রয়ে গেলাম। দেখতে দেখতে সবাই চলে গেলো— এখন এখানে আমি একা। আকাশে পূর্ণিমার চাঁদ কিন্তু মেঘে ঢাকা বলে পুরো আকাশটায় একটা ঘোলাটে আলো, সেই আলোতে পুরো গোরস্তানটাকে কেমন যেন অলৌকিক একটা জায়গা বলে মনে হচ্ছে। টিপটিপ করে বৃষ্টি পড়ছে, বৃষ্টির পানিতে আমি ভিজে যাচ্ছি, ভিজে ভিজে একটা গাছের নিচে আমি নিঃশব্দে দাঁড়িয়ে রইলাম। আমাকে কেউ বলে দেয়নি কিন্তু আমি জানি এখানে কোথাও নিশিকন্যা লুকিয়ে আছে। আমি কান পেতে শোনার চেষ্টা করলাম, ঝিঁঝিঁপোকা ডাকছে সেই শব্দ ছাপিয়ে কান্নার শব্দ ভেসে এলো। কেউ একজন ফুঁপিয়ে ফুঁপিয়ে কাঁদছে।

শব্দটি ভেসে আসছে একটা কবরের ভেতর থেকে। পুরানো কবর, মাটি ধসে পড়ে সেখানে একটা গর্ত হয়েছে, সেই গর্তের ভেতর নিশিকন্যা লুকিয়ে ছিল। হঠাৎ কান্নার শব্দ থেমে গেলো, আমি দেখলাম কবরের ভেতর থেকে খুব ধীরে ধীরে নিশিকন্যা বের হয়ে আসছে। আবছা অন্ধকারে ভালো দেখা যায় না, শুধু অবয়বটি আবছা বোঝা যায়। আমি গর্তের ভেতর থেকে পুরোপুরি বের হওয়া পর্যন্ত অপেক্ষা করলাম, তারপর আমার ছয় ব্যাটারির টর্চলাইটটা নিশিকন্যার দিকে তাক করে জ্বালিয়ে দিয়ে চিৎকার করে বললাম, "দাড়াও।"

তীব্র আলোতে আমি একমুহূর্তের জন্যে নিশিকন্যাকে দেখতে পেলাম— আঠারো উনিশ বছরের একটি মেয়ে, ভয়ংকর আতংকে রক্তশূন্য ফ্যাকাসে মুখ! মেয়েটি হঠাৎ দুই হাতে মুখ ঢেকে আর্তনাদ করে নিচে পড়ে গেলো, যেন এটি টর্চলাইটের আলো নয়, যেন এটি তীক্ষ্ণ বর্শার আঘাত! আমি আলোটি ধরে রাখলাম আর সেই আলোতে মেয়েটি ভয়ংকর যন্ত্রণায় ছটফট করে কাতরাতে থাকে—

হঠাৎ পিছন থেকে কে যেন আমার উপর ঝাঁপিয়ে পড়ল। হ্যাঁচকা টানে আমার হাত থেকে টর্চলাইটটা নিয়ে কাতর গলায় বলল, "আল্লাহ্‌র কসম লাগে স্যার— আমার মেয়েটাকে মেরে ফেলবেন না!"

আমি অবাক হয়ে বললাম, "কে?"

"আমি। আমি মাহতাব মৃধা।"

মাহতাব মৃধা টর্চলাইটটা নিভিয়ে দিতেই আবছা অন্ধকারে পুরো এলাকাটা ঢেকে গেলো।

মাহতাব মৃধা ছুটে গিয়ে নিশিকন্যাকে ধরে বলল, "কুসুম! কুসুম— মা আমার।"

মেয়েটি যন্ত্রণায় ছটফট করতে করতে বলল, "বাবা, বড় কষ্ট বাবা!"

মাহতাব মৃধা মেয়ের শরীরে হাত বুলাতে বুলাতে বলল, "একটু সহ্য কর মা আমার— একটু সহ্য কর।"

মেয়েটা আকুল হয়ে বলল, "আর পারি না বাবা।"

আমি কাছে গিয়ে বললাম, "কী হয়েছে মাহতাব?"

"আমার এই মেয়েটা আলো সহ্য করতে পারে না। শরীরে আলো লাগলে যন্ত্রণায় ছটফট করে।"

"আলো সহ্য করতে পারে না?"

"না।"

মাহতাব মেয়েটাকে জড়িয়ে ধরে, মেয়েটা বাবার কাঁধে মাথা রেখে কাঁদতে থাকে।

মাহতাব ফিসফিস করে বলল, "আমার ফুলের মতো নিষ্পাপ মেয়ে— অন্ধকারে থাকতে থাকতে যখন সহ্য করতে পারে না, তখন মাঝে মাঝে রাত্রি বেলা বের হয়— আর তাকে নিয়ে কতো গল্প!"

আমি বললাম, "মুসলিম চাচা যে বলল সে তার ভাতিজাকে খুন করেছে!"

"আমার কুসুম একটা বাচ্চাকে খুন করবে?" মাহতাব তীব্র গলায় বলল, "আপনি আমাকে সেটা বিশ্বাস করতে বলেন?"

কুসুম ফিসফিস করে বলল, "আমি দেখেছি বাবা।"

"কী দেখেছিস?"

"দেখেছি— দেখেছি—" বলে মেয়েটা আবার কেঁদে ওঠে।

"কাঁদিস না, মা, বল।"

"দেখেছি ঐ দাড়িওয়ালা মানুষটা বাচ্চাটাকে জবাই করে ফেলেছে!"

আমি চমকে উঠে বললাম, "কোন দাড়িওয়ালা মানুষটা?"

"যে মানুষটার হাতে বন্দুক ছিল।"

"মুসলিম চাচা?"

কুসুম মাথা নাড়ল, বলল, "হ্যাঁ।"

"মুসলিম চাচা নিজে তার ভাতিজাকে খুন করেছে?"

"হ্যাঁ।"

"কিন্তু একটা মানুষ নিজে তার ভাতিজাকে কেন খুন করবে?"

মাহতাব মিয়া বলল, "সম্পত্তির জন্যে। ভাই মারা গেছে, এখন ভাইয়ের ছেলে যদি মারা যায় সম্পত্তির মালিক হবে নিজে। স্যার, এটা খুব সহজ হিসাব।"

"কী সর্বনাশ!"

কুসুম বাবাকে শক্ত করে ধরে রেখে বলল, "আমার খুব ভয় করছে বাবা!"

মাহতাব মেয়ের গলায় হাত বুলিয়ে নরম গলায় বলল, "কোনো ভয় নাই মা। তোর কোনো ভয় নাই। আমি আছি না?"

আমি কুসুমের কাছে গিয়ে বললাম, "কুসুম। তুমি সত্যি নিজের চোখে মুসলিম চাচাকে খুন করতে দেখেছ?"

"হ্যাঁ।"

"খুন করে কী করেছে?"

"লাশটা টেনে নিয়ে বাঁশঝাড়ের নিচে পুঁতে ফেলেছে।"

"তুমি কেমন করে দেখেছ?"

"আমি সেখানে ছিলাম।"

"কেন?"

"যখন অন্ধকার হয়, তখন আমি ঘুরে বেড়াই। আমি অন্ধকারে দেখতে পাই।"

"তোমার ভয় করে না? জন্তু জানোয়ার সাপ খোপ—"

"না। জন্তু জানোয়ার আমার ভয় করে না। জন্তু জানোয়ারের মাথায় হাত রাখলে আমার পোষ মেনে যায়।"

"তোমার কিছু ভয় করে না?"

"করে। আমার মানুষকে ভয় করে। মানুষকে আমার খুব ভয় করে।"

আমি আবছা অন্ধকারে এই দুর্ভাগা মেয়েটার দিকে তাকিয়ে রইলাম।

মাহতাব কুসুমকে টেনে তুলে বলল, "আয় মা।"

আমি জিজ্ঞেস করলাম, "এখন কোথায় যাচ্ছেন?"

"নৌকায়।"

"তারপর?"

"তারপরে অন্য কোনো গ্রামে। বাঘাইকান্দি গ্রামে আমরা আর থাকতে পারব না স্যার।"

আমি কোনো কথা বললাম না। মাহতাব বলল, "আমার মেয়েটার জন্যে একটু দোয়া করবেন। এতো বড় অভিশাপ যেন আর কারো না লাগে।"

আমি বললাম, "মাহতাব সাহেব।"

"বলেন স্যার।"

"আপনার মেয়ের এইটা অভিশাপ না।"

"এইটা তাহলে কী?"

"এইটা একধরনের এলার্জী। আলো দিয়ে এলার্জী। আমি এর কথা আগে শুনেছি। এর চিকিৎসা করানো যেতে পারে। আপনি আমার সাথে চলেন, আমার পরিচিত বড় ডাক্তার আছে।"

মাহতাব মাথা নাড়ল, বলল, "এখন আমাদের বড় বিপদ স্যার। আমাদের এখনই এই গ্রাম ছেড়ে যেতে হবে।"

"কেন যেতে হবে? পুলিশের কাছে সব খুলে বললেই হবে—"

মাহতাব শুষ্ক গলায় হেসে বলল, "আমাদের কথা পুলিশে শুনবে না। আজ রাতে আমরা যদি পালিয়ে না যাই আমার এই মেয়েটারে আমি বাঁচাতে পারব না। এই মেয়েটাকে যদি ধরতে পারে সূর্যি ওঠার সাথে সাথে মেয়েটা মরে যাবে—"

"তাহলে আপনার ঠিকানা দেন। আমি আপনাকে খোঁজ করে বের করব।"

"আমার কোনো ঠিকানা নাই। আমরা নৌকায় থাকি— এক গ্রাম থেকে অন্য গ্রামে— এক অঞ্চল থেকে অন্য অঞ্চল।"

আমি পকেট থেকে একটা কার্ড বের করে মাহতাবকে দিয়ে বললাম, "তাহলে এইটা সাথে রাখেন। আপনি আমার সাথে যোগাযোগ করবেন।"

মাহতাব কয়েক মুহূর্ত ইতস্তত করে হাত বাড়িয়ে কার্ডটি নিল।

আমি মাহতাব আর তার মেয়ের সাথে হাঁটতে হাঁটতে নদীর তীরে এলাম। নদীর ঘাটে একটা ছোট নৌকা, নৌকায় ওঠার আগে মাহতাব হঠাৎ দাঁড়িয়ে গিয়ে বলল, "স্যার।"

"কী হলো?"

"আমার মেয়ে আপনাকে ছাড়া আর কোনো মানুষকে কাছে থেকে দেখে নাই। কারো সাথে কথা বলে নাই।"

আমি কী বলব বুঝতে পারলাম না। মাহতাব বলল, "আমার মেয়েটা আপনার পা ছুঁয়ে একটু সালাম করতে চায়। আপনি তার মাথায় হাত দিয়ে একটু দোয়া করে দিবেন?"

"এসো।"

নিশিকন্যা আমার কাছে এসে আমার পা স্পর্শ করে সালাম করল। আমি তার মাথায় হাত রেখে মনে মনে বললাম, "খোদা, আমি তো কখনো তোমার কাছে কোনো কিছু চাই নাই। তুমি এই দুঃখী মেয়েটাকে ভালো করে দাও।"

নৌকাটি চলে না যাওয়া পর্যন্ত আমি নদীর ঘাটে দাঁড়িয়ে রইলাম। জ্যোৎস্নার আলোতে মেঘনা নদীতে নৌকাটা ছোট হয়ে মিলিয়ে যাওয়ার পর আমি ফিরে আসতে গিয়ে দেখলাম বড় বড় কয়েকটা কুকুর নদীর ঘাটে মাথা নিচু করে দাঁড়িয়ে আছে। তারা আমার পিছুপিছু এসে আমাকে আমার ঘরে পৌঁছে দিল।

আমি পরদিন ভোরেই বাঘাইকান্দি গ্রাম থেকে ফিরে এসেছিলাম। ফিরে আসার আগে থানার ও.সিকে বাঁশঝাড়ের নিচে খোঁজ করার কথা বলে এসেছিলাম। আজীজ মাস্টার আমাকে চিঠি লিখে জানিয়েছিল মানুষ খুন করার কারণে মুসলিম চাচার নামে কেস হয়েছে— কেসের ফল কী সেটা কখনো জানতে পারি নি।

মাহতাব কখনো আমার সাথে যোগাযোগ করেনি। আমার মাঝে মাঝে খুব জানার ইচ্ছে করে কুসুম নামের সেই দুঃখী নিশিকন্যা এখন কোথায় আছে।

আমার বড় ভাবতে ইচ্ছে করে খোদা আমার প্রার্থনা শুনেছেন। সে ভাল হয়ে গেছে, তাকে আর অন্ধকারে লুকিয়ে থাকতে হয় না। তার খুব একজন প্রাণবন্ত সুদর্শন তরুণের সাথে বিয়ে হয়েছে। বিয়ের রাতে কুসুম তাকে বলেছে, "তুমি জান আগে আমি কখনো অন্ধকার থেকে আলোয় আসতে পারতাম না?"

সেই তরুণটি তখন হি হি করে হেসে বলছে, "ইশ কুসুম! তুমি যে কী মিথ্যা কথা বলতে পার!"